Por qué se necesita

LA VISIÓN DE UN PILOTO

Al reconocer que la mayoría de las personas encuentra fascinante volar, John Michael Magness emplea una atractiva metáfora para inspirar a los triunfadores de altos vuelos, ya sean ellos socios, vendedores profesionales u otros líderes de negocio.

LA VISIÓN DE UN PILOTO invita al lector de negocios a ver el mundo a través de los ojos de un piloto; a pensar, planear y actuar con la osadía y la disciplina, con la confianza y la precisión de un piloto altamente entrenado. Llevando la analogía aún más allá, el autor John Michael Magness compara a un líder de negocios con un piloto de avión; al equipo de negocios o al grupo de trabajo con la aeronave y a los clientes con los pasajeros.

El señor Magness presenta siete secretos de pilotos exitosos que el lector puede adoptar para convertirse en un "piloto líder" en su trabajo. Comienza con "la visión de un piloto," la singular perspectiva tridimensional que separa a todos los "pilotos líderes." Muestra también cómo los "pilotos líderes" pueden:

- Volar con la tecnología
- Planear para el éxito
- Comunicar la visión
- Volar con confianza

Disfrutará de la sapiencia, al alcance de todos, del señor Magness, así como de sus entretenidas anécdotas de aviación y de las analogías con el vuelo. Quedará inspirado para volar en las alturas del mundo de los negocios.

"Todo aquél que haga negocios sobre la Tierra, puede beneficiarse de la lectura de *La Visión de un Piloto*. De veras disfruté el libro."
—**Wally Schirra**
Astronauta en el Mercury 8, Géminis 6 y Apollo 7

"Muchos aviadores han reconocido el parecido que existe entre los procedimientos que usan para volar con seguridad y las técnicas que usan los líderes exitosos para pilotear sus empresas. Ahora, John Magness ha empleado su estilo sencillo y sus experiencias personales en la cabina para relacionar esas observaciones con las de nuestros amigos en tierra."
—**T.K. Mattingly**
Contra Almirante (r), Armada de los Estados Unidos
Astronauta de la NASA, Ejecutivo Aerospacial

"Para este mundo en rápido movimiento, *La Visión de un Piloto* ofrece un plan de vuelo para llevarlo a uno lejos y que es adaptable a cualquier profesión. Un plan de vuelo, que si está impulsado por el deseo y la determinación podrá llevarlo hasta donde apenas soñó con ir."
—**Dick Rutan**
Piloto del Voyager, primero en hacer un vuelo sin escalas, ni reabastecimiento de combustible alrededor del mundo.

"El planteamiento de John Magness hacia el liderazgo y el éxito funcionará igual de bien para los líderes de las compañías grandes como los de las pequeñas. Anímese a abrocharse el cinturón de seguridad en la cabina y... ¡sosténgase!"
—**John West**
Presidente de System One Technical, Inc.

más

"Este libro obliga a uno a responder preguntas difíciles acerca de cómo está "piloteando" su negocio. Es más, *tiene* que tener la habilidad de responderlas para que pueda volar alto en el mercado tan competitivo de hoy en día. Yo felicito a John Michael Magness por proveernos, a los que no somos pilotos, la oportunidad de sacar beneficio de *La Visión de un Piloto*."
—**Tom Hopkins**
Maestro en Entrenamiento de Ventas
Autor de *Cómo llegar a dominar el Arte de las Ventas* y *Ventas para Tontos*.

"El ritmo de los negocios de hoy en día demanda un nuevo enfoque al liderazgo. *La Visión de un Piloto* toma lo asombroso y lo emocionante de la aviación y lo aplica a un mundo corporativo en constante cambio. Una vez que lea *La Visión de un Piloto* nunca más verá a su compañía ni a los miembros de su equipo de la misma manera."
— **Ross Perot, Jr.**
Presidente, Corporación de Desarrollo de Hollywood
Ex-piloto de la Fuerza Aérea
La primera persona que piloteó un helicóptero alrededor del mundo.

"Las metáforas y las citas que contiene este libro son de gran valor para todos nosotros – ya sea que volemos o sólo soñemos con volar."
— **Twyman Towery**
Autor del *La Sabiduría de los Lobos: Principios para Crear Éxito Personal y Triunfar en la Profesión*.

"Bien sea que apenas inicia el ascenso en el escalafón organizacional, o si simplemente necesita un empujón en alguna parte del camino, este libro proporciona valiosos elementos para cualquiera que desee tener éxito. Es claro, conciso y fácil de leer. John Magness da en el blanco."
— **J.P. Hoar**
General (r)
Presidente de J.P. Hoar and Associates

"En *La Visión de un Piloto*, John Michael Magness proporciona una emocionante, clara y concisa analogía de liderazgo en los negocios. El vistazo perspicaz de él será invalorable para todos aquellos que busquen superar el reto número uno en los negocios de hoy: Proporcionar liderazgo efectivo en un ambiente de cambios rápidos. Lea *La Visión de un Piloto* y véalo por sí mismo."
—**George A. Thornton, III**
Corredor de bienes raíces y constructor
Vice presidente ejecutivo de Rhodes Furniture

"En la misma forma en que un avión vuela de un sitio a otro, *La Visión de un Piloto* lleva al lector directo al grano: Cómo ser un mejor líder. John Magness ha unido toda una riqueza de ejemplos, recursos y analogías inspiradoras, para mantener al lector enfocado y motivado. Es un placer leer este libro."
—**Harriet Briscoe Harral, Ph.D.**
Presidente, The Harral Group
Director Ejecutivo, Leadership Fort Worth

más

"John Magness ofrece a los lectores un vistazo perspicaz y único de las características comunes que tienen los buenos pilotos y tienen los buenos líderes de negocios. Magness nos recuerda que los pilotos buenos de verdad permanecen enfocados y comprometidos. La implacable preparación, combinada con la confianza y el coraje, los separan del resto. Los buenos líderes de negocio son iguales. Cualquiera que se enfrente a los retos de los negocios de hoy, encontrará varios puntos en este libro para añadir a su lista pre-vuelo."
—T. Allan McArtor
Ex piloto de combate y miembro de la Fuerza Aérea de los Estados Unidos
Escuadrón Thunderbirds de vuelo de precisión
Ex Director de la Federal Aviation Administration
Presidente Fundador de Legend Airlines

LA VISIÓN DE UN
PILOTO

JOHN MICHAEL MAGNESS

Adams-Hall Publishing Los Angeles

ISBN 0-9709483-9-5

Los libros están disponibles con descuentos especiales por volumen,
para compras de grandes cantidades, en promociones de venta, pri-
mas, recaudo de fondos o uso educativo. Para más detalles contacte
a: Future Achievement International en el teléfono 951/303-1611,
extensión 12

Impreso y fabricado en los Estados Unidos de América
20 19 18 17 16 15 14 13 12 11 10 9 8 7 6 5 4 3 2 1

Foto del autor: Jim Winn
Diseño de carátula: Hespenheide Design
Foto de los anteojos ©Bausch & Lomb Incorporated.
Outdoorsman, Arista, G-15 y Ray-Ban son marcas registradas de
Bausch & Lomb Incorporated.

Traducido por Colare Trading Co. Ltda.
Editado por Visión Global, LLC.

Este libro está dedicado a
mi "copiloto" y amorosa esposa, Angie.

Dios me bendijo en gran
medida al traerte a mi vida.

Te amo.

Contenido

Agradecimientos

Muy a menudo, en el mundo nos vemos tentados por la seducción de la gratificación instantánea — comidas para microondas, loterías y dietas rápidas. Como piloto, he aprendido que todas las cosas que valen la pena toman mucho más tiempo. No puede uno convertirse de la noche a la mañana en un buen piloto o un buen líder. Toma años de práctica y sólo entonces comienza uno a aprender y a explotar el potencial propio. No hay atajos, como lo saben los escritores, al momento de escribir. Toma años de investigación, experiencia, edición y reescritura. Este libro es el resultado de mi pericia en liderazgo como piloto, como hombre de negocios a nivel internacional y conferencista profesional. No hubo atajos.

Si algo he aprendido como piloto y como líder, es que nadie hace las cosas solo. Me quedaría sin espacio tratando de agradecer a cada uno de aquellos que han tenido un impacto en mi vida, pero déjenme intentarlo.

Primero, déjenme agradecer a los muchos hombres y mujeres con quienes he trabajado. He tenido el privilegio de trabajar al lado de algunos de los mejores soldados, hombres de negocios y pilotos de nuestro país. Las experiencias que comparto con usted en este libro, ciertamente son una colaboración. Al igual que la aeronave no puede volar sin componentes críticos, habría sido imposible escribir este libro sin esas personas. Específicamente, quisiera agradecer a Greg Stone, Robert J.H. Anderson, James Steele, Don Olson, Herb Rodríguez y Wayne Downing por los inspiradores ejemplos. Quisiera también agradecer a los dos mejores pilotos instructores que el ejército haya tenido, Dan Jollotta y Cliff Wolcott, quienes me enseñaron que uno nunca puede estar satisfecho con el desempeño del día anterior.

Quisiera también agradecer a quienes me proporcionaron las palabras tan necesarias de ánimo durante este esfuerzo: Tom Hopkins de Tom Hopkins International y Ross Perot, Jr. También estoy agradecido con mis amigos en Adams Hall, en especial con Don y Susan Silver por la fe que tuvieron y la atención que le prestaron a este manuscrito.

Finalmente, quisiera agradecer a mis abuelas y a mi padre y a mi madre, quienes me inculcaron una brújula interna para lo que está bien y para lo que está mal. Agradezco a mi esposa Ángela por el amor y por la tolerancia soportando esas noches escribiendo hasta tarde e investigando durante tantos años, y por estar conmigo en todas las mudanzas que tuvimos alrededor del mundo. Y a mis amorosos hijos, Chelsea y John Michael, quienes continúan inspirándome. Algún día entenderán la magnitud de mi amor por ustedes.

Introducción

Pocas profesiones conjuran una imagen más romántica y emocionante que la de un piloto. Hollywood y la historia se han asegurado de que así sea. Piense en Charles Lindbergh, quien volara por primera vez solo a través del Atlántico; Amelia Earhart, primera mujer en volar sola a través del Atlántico; las distinguidas pilotos del Cuerpo Aéreo Auxiliar de Mujeres de la década de los 40, quienes hicieron significativas contribuciones al esfuerzo de la Segunda Guerra Mundial en el país; los pilotos del Escuadrón Tuskegee, quienes probaron, a aquella gente ignorante, que estaban equivocadas, y lo hicieron con estilo y con coraje; Chuck Yeager, quien voló más rápido antes que nadie lo pensara posible al romper la barrera del sonido; Neil Armstrong, por dar los primeros pasos sobre la superficie de la luna y la Astronauta Sally Ride, primera mujer Estadounidense en ser colocada en órbita sobre la tierra.

Bien sea que recordemos historias de pilotos militares o civiles, pilotos de aviones o de helicópteros, hay algo acerca de los pilotos que captura la imaginación de todos nosotros. Tal vez sea la habilidad de "soltar las ataduras que nos unen a la tierra" como escribiera Magee en su famoso poema "Vuelo Alto." (Ver el poema completo en la página 4). Quizá sea la capacidad que poseen para operar maquinaria tan com-

1

pleja con una facilidad aparente lo que nos paraliza. Podríamos incluso pensar en la suerte que tienen por haber nacido con tal habilidad.

Nada podría estar tan lejos de la verdad. Durante los últimos 15 años, he tenido la oportunidad de conocer, entrevistar y estudiar a algunos de los mejores y más brillantes líderes del país, tanto en los negocios, como en el gobierno, en los deportes y en nuestras comunidades. Los he visto desde una perspectiva decididamente diferente, a través de los ojos de un piloto.

Lo que fue interesante es haber descubierto que esos líderes alcanzaron consistentemente nuevas alturas mientras exhibían los atributos de un piloto.

Durante este lapso, he servido como piloto de helicóptero y comandante del Ejército de los Estados Unidos, asesor de personal, consultor de aviación para un gobierno extranjero y ahora soy un hombre de negocios a nivel internacional. A través de mis múltiples carreras, una pregunta ha dirigido mi propia y persistente búsqueda del éxito: ¿Qué es lo hace que alguien tenga éxito en el mundo de los negocios? Escribí este libro para responder la pregunta.

Cómo puede ayudarle este libro

Ya tomó usted el primer paso que se necesitaba.

Al leer este libro, ha escogido "lanzarse al vuelo" y levantarse con osadía, con habilidad y con confianza por encima de otros, tal como lo haría un piloto. Aprenderá a volar por encima de la competencia. ¡Allí, a donde se dirige hay menos congestión, el aire es mejor y el panorama lo dejará sin aliento!

La Visión de un Piloto lo invita a usted, el lector de negocios, a ver el mundo a través de los ojos de un piloto, a pensar, a planear y actuar con la osadía y la disciplina, con la confianza y la precisión, de un piloto altamente entrenado.

Este libro comparte siete secretos de pilotos exitosos que puede adoptar para convertirse en un "piloto líder" en los negocios. Comenzando con "la visión de un piloto," la única perspectiva tridimensional que separa a los "pilotos líderes" del resto, verá cómo los "pilotos líderes" tienen éxito y ello le inspirará para volar más alto en el mundo de los negocios.

Vuelo Alto

Oh, he roto los lazos opresores que me ataban a la tierra,
y bailado por los cielos, en sonrientes alas de plata,
He trepado hacia el sol y unido a la descendente alegría de
    su luz
he desgajado las nubes y hecho cientos de cosas que nunca
    hubiese soñado,
he virado y remontado el vuelo y me he balanceado,
en lo alto, en el silencio luminoso, he planeado allí.
He perseguido el aullido del viento, y he lanzado
mi inquieto avión a través de las estancias infinitas del aire.
Trepo y trepo hacia lo alto, hacia el delirante azul intenso.
He alcanzado con fácil elegancia las alturas barridas por el
    viento
donde nunca la alondra, e incluso el águila volaron.
Y mientras, allá arriba, en el silencio, elevando mi mente,
rebaso la alta e inviolable santidad del espacio,
extiendo mi mano,
y acaricio el rostro de Dios nuestro Señor.

-Oficial y Piloto John Gillespie Magee, Jr., Escuadrón No.
412 de la Real Fuerza Aérea Canadiense

John Gillespie Magee, Jr. fue un piloto de caza Estadounidense/ Británico que voló con la Real Fuerza Aérea Canadiense en Gran Bretaña durante la Segunda Guerra Mundial. Escribió "Vuelo Alto" al dorso de una carta que enviara a sus padres. Escribió, "les envío un verso que escribí el otro día. Comenzó a 30.000 pies y lo terminé poco antes de aterrizar" Magee murió a la edad de 19 años el 11 de diciembre de 1941.

1
Cómo se hace
un "piloto líder"

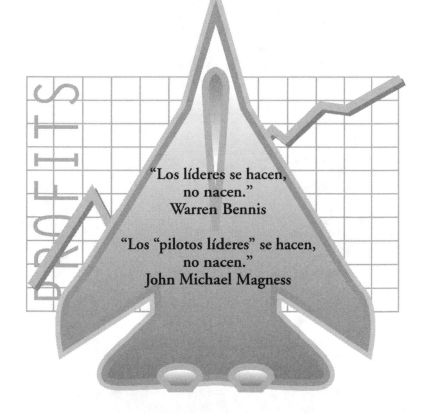

"Los líderes se hacen,
no nacen."
Warren Bennis

"Los "pilotos líderes" se hacen,
no nacen."
John Michael Magness

1

Cómo se hace un "piloto líder"

Recientemente, en una conferencia de empresarios llevada a cabo en el Instituto de Tecnología de Massachusetts (Massachusetts Institute of Technology, MIT), surgió un interés común a medida que los asistentes se acomodaban y se iban presentando. Muchos de los propietarios de negocios exitosos compartían un interés similar no relacionado con el negocio: El vuelo.

Un porcentaje grande de quienes asistían a la conferencia no sólo eran pilotos con licencia, sino que también eran propietarios de su propia aeronave. ¿Por qué podría un grupo élite como este interesarse e incluso apasionarse por el vuelo?

¿Acaso los pilotos y los hombres de negocios exitosos comparten rasgos comunes? ¡Sí! Y le contaré un secreto adicional: La mayoría tiende a manejar las empresas de la misma forma en que pilotean sus aeronaves.

¿Qué es lo que saben esos "pilotos líderes" y campeones de los cielos? ¿Qué conocimiento del vuelo y de ser capitanes en el aire les ayuda a tener éxito en tierra?

Mientras ponía a prueba un avión prototipo para un cliente, comencé a ver increíbles paralelos entre el vuelo que estaba llevando a cabo y las preguntas que me intrigaban. La clave es ver qué podemos aprender de las habilidades y experiencias de un piloto altamente entrenado que se puede aplicar para tener éxito en el mundo de los negocios. Comencemos examinando el proceso de convertirse en un piloto.

Cómo se hace un piloto

Tenemos mucho que aprender de cómo se hace un piloto. Muchos de los mismos atributos que un piloto desarrolla y que luego perfecciona se requieren para tener éxito en nuestro mundo lleno de información y turbo alimentación.

Cada piloto desarrolla las habilidades de la aviación mediante un arduo trabajo y durante un largo programa de entrenamiento. Está bien, la genética puede jugar un papel en uno de los atributos: Buenos ojos. Pero aún sin la mitológica buena vista de un piloto, muchos pilotos excepcionales han volado con lentes de "fondo de botella." Incluso he conocido personas cuya visión era de 20/10 pero que fallaron en sus pruebas de aptitud de vuelo. Por lo tanto, sostengo que la genética juega apenas un pequeño papel en convertirse en piloto.

¿De donde viene el resto de habilidades de pilotaje? Todo comienza con el entrenamiento de vuelo. Demos una mirada al riguroso entrenamiento de un piloto de helicópteros, al cual puedo referirme por experiencia propia.

Cada mañana en Fort Rucker, una gran instalación del Ejército cerca de 150 millas al suroeste de Atlanta, 300 helicópteros se elevan en el cielo alrededor del somnoliento pueblo de Enterprise, Alabama. Aquí, los mejores pilotos de helicóptero adquieren las herramientas de una rama singular de industria.

Cada día, por nueve meses, los alumnos estudian los procedimientos, mapas y aeronaves en busca de ganarse el título de "Aviador del Ejército" y la posibilidad de usar las codiciadas alas de plata. Los instructores en Fort Rucker deben estar haciendo algo bien. La Fuerza Aérea de los Estados Unidos, La Fuerza Naval y El Cuerpo de Infantería de Marina, así como numerosos aliados extranjeros envían a sus mejores y más brillantes candidatos a este centro de entrenamiento de pilotos. El entrenamiento de pilotos en Fort Rucker es como un testimonio viviente de que los pilotos se hacen, no nacen.

Un verdadero cambio de vida

Cuando una persona ingresa a la escuela de vuelo de helicópteros del Ejército de los Estados Unidos (o a cualquier otro programa de entrenamiento de vuelo), sin importar cuál haya sido la posición que ocupaba antes en la sociedad, esa persona sale de allí como piloto.

Desde el día en que comienza el entrenamiento de vuelo, un cambio tiene lugar: El entrenando comienza a pensar en sí mismo o en sí misma como un aviador. La transformación es muy parecida a una metamorfosis física y mental. La he presenciado en incontables oportunidades y aún me maravillo cada vez. ¿Qué puede hacer un piloto para evitarla? Por nueve meses el piloto come, bebe, respira y estudia como piloto. Asociándose únicamente con pilotos y permaneciendo totalmente inmerso en la cultura, los restos del antiguo "yo" del nuevo piloto se quedan en la puerta de abordaje.

Volar representa el máximo potencial de aprendizaje de los seres humanos. Si las personas pueden aprender a volar, pueden aprender cualquier cosa. Con seguridad, pueden aprender a planear y a tener éxito en los negocios. Este libro le mostrará el camino para convertirse en un "piloto líder," una persona que liderea con la misma clase de habilidades extraordinarias que poseen los pilotos.

La analogía del "piloto líder"

En *La Visión de un Piloto*, empleé la analogía del "piloto líder" como un punto en común para desarrollar las habilidades para triunfar en el mundo de los negocios. En esta analogía, un líder de negocio es el piloto, el equipo del líder es la tripulación, el mantenimiento terrenal son los proveedores, los clientes son los pasajeros y el negocio es la aeronave, que no "vuela," ni se mueve por sí misma, sino que depende del "piloto líder," del equipo y de los clientes.

No se tiene que saber cómo volar para cosechar las recompensas de ser un "piloto líder," sencillamente debe compartir el intenso deseo de pilotear a su equipo, a sus clientes y a su negocio hasta nuevas alturas y hasta el éxito certero.

"In Summitatem Nisus"
-Esforzarse por llegar a la cima

Esta frase en latín ha sido el lema de la familia Magness por más de 100 años. Es también un gran lema para cualquier persona en un negocio u organización que desee convertirse en un "piloto líder" y volar alto con su equipo y con sus clientes.

La competencia opera en dos dimensiones buscando soluciones lineales. Como "piloto líder," descubrirá una tercera dimensión de pensamiento y creatividad. De la misma forma en que un piloto piensa y vuela por encima y alrededor de los obstáculos, usted también podrá hacerlo. Un "piloto líder" tiene la capacidad de emplear habilidades para mover a su equipo en tres dimensiones. Un "piloto líder" liderea con la confianza, la habilidad, la audacia y la perspicacia de un piloto bien entrenado. El mundo está hambriento por este tipo de líderes.

Los siete secretos del "piloto líder"

Los Siete Secretos del "piloto líder" salieron de mis años de experiencia como piloto exitoso y como líder. He volado y estudiado con algunos de los mejores pilotos del mundo. Estos aviadores manejan sus cabinas como un Presidente Ejecutivo y Jefe en una empresa.

Entienden y aplican continuamente los siete secretos del "piloto líder:"

1. La visión de un piloto
2. Conciencia situacional
3. El poder de la planificación
4. Volar con la tecnología
5. Comunicar la visión
6. El poder del conocimiento
7. Volar con confianza

Hoy, los líderes exitosos en los negocios, en los deportes, en lo cívico y lo político demostraron su capacidad en muchas de estas áreas y han piloteado sus organizaciones hasta llevarlas a un éxito estratosférico.

Veremos cada área en detalle en los próximos capítulos y veremos las increíbles similitudes entre los pilotos exitosos y los líderes exitosos.

Estos secretos se pueden aplicar a su papel en los negocios. Por consiguiente, también usted comenzará a pensar, actuar y liderear su empresa como lo hace un capitán de una aeronave.

Preguntas que facultan a "pilotos líderes"

¿Se siente sobrecogido al estar en frente de líderes de alto perfil, y atribuye su éxito a la suerte?

¿Está dispuesto a invertir el tiempo y el esfuerzo para aprender a liderear?

¿Ha hecho un compromiso consigo mismo y con su equipo para despegar y dejar atrás a la multitud?

¿Cómo, al emplear la analogía del "piloto líder," puede darle un valor agregado a los negocios?

¿ Cuál de los siete secretos de los "pilotos líderes" le suena o le despierta la curiosidad?

2
La visión
de un piloto

"Sin profecía,
ni visión
el pueblo se desenfrena
y perece."
Proverbios 29:18

2
La visión de un piloto

Si ha habido un problema en el pilotaje que haya sido rediseñado más a menudo que cualquier otro, es el de cómo mejorar la visión del piloto.

Los pilotos han estado siempre ansiosos por extender su visión desde el momento en que se echaron a volar. Los primeros "pilotos" durante la Guerra Civil en Estados Unidos volaban en globos con telescopios con la esperanza de ver los campamentos enemigos. Durante la Segunda Guerra Mundial, los pilotos tenían radares instalados en sus aeronaves que podían detectar al enemigo más allá del rango visual. Ahora, los helicópteros modernos están equipados con óptica electrónica que ayuda a los pilotos a ver a través del humo, la niebla y la oscuridad del campo de batalla moderno. Todos estos avances tecnológicos han permitido que tanto los pilotos comerciales como los militares vean lo que se encuentra más allá de su campo inmediato de visión.

Para un piloto, hay una gran diferencia entre vista y visión. Los buenos pilotos pueden tener visión de 20/20 o aún mejor, pero los mejores pilotos han extendido esa visión a una visión de 360 grados y tienen la habilidad de ver lo que se encuentra sobre el horizonte. En otras palabras, ven no sólo lo que ocurre frente a ellos, sino también lo que va a ocurrir con la aeronave, la tripulación, los pasajeros, el clima y el terreno. En pocas palabras, ellos prevén y, por lo tanto, controlan todas las influencias sobre su ambiente de vuelo. Se dan cuenta que si no controlan el ambiente estarán relegando el control del vuelo al azar o a la mala suerte; de ahí que saben que si no controlan su propio destino, algo o alguien más lo controlará.

La visión del piloto en los negocios

Los grandes líderes de negocios tienen también esta visión. Habiendo aprendido a controlar su ambiente, han convertido este conocimiento en una capacidad casi surrealista para predecir y controlar eventos futuros en el mercado, el equipo, la compañía, el producto o el cliente. Warren Bennis, autor del libro *Líderes* y una de las autoridades más destacadas del país en liderazgo, subraya que "la cualidad singular que define al líder es su capacidad de crear y de llevar a cabo una visión."

Michael Crichton, el autor del éxito de ventas de *Parque Jurásico, Congo, Airframe* y muchas otras novelas demoledoras tiene la habilidad singular de escribir acerca de temas antes de que estos se conviertan en noticias de primera página. Su literatura y su mercadeo visionarios le han permitido convertirse en uno de los autores más exitosos de los Estados Unidos. Piense en esto: Antes de que los dinosaurios enloquecieran a nuestros hijos, él escribió *Parque Jurásico.* Antes de que el Ébola y el SIDA infectaran nuestras conciencias, él escribió la *Amenaza de Andrómeda.* Él tiene la visión para saber lo que será importante para su audiencia, no hoy sino en el futuro.

A menudo nos sentimos sobrecogidos por los grandes líderes de negocios tales como Bill Gates de Microsoft o Jack Welch de GE y su aparentemente divino don empresarial. Puede estar seguro de que la habilidad de ellos es un rasgo aprendido. Es visión. De la misma forma en la que un piloto ha aprendido a expandir su vista para convertirla en visión, también usted aprenderá a desarrollar "la visión de un piloto."

Mejorar su visión de piloto
Los pilotos de helicóptero disfrutan de una perspectiva única al tener la habilidad de ver, tanto los detalles sobre el suelo y el terreno inmediatamente bajo ellos, como lo

que se encuentra por encima. Es aquí donde nosotros como líderes debemos también posicionarnos: No volar tan bajo como para perder "la perspectiva del panorama general," ni volar tan alto como para perder el contacto con nuestra situación actual. Sí, es una ventana delicada en la cual operar pero es también la ubicación óptima para mejor utilizar "la visión de un piloto."

Recuerde, los pilotos emplean su visión para controlar lo que ingresa en el ambiente de vuelo. Como un "piloto líder," usted puede emplear la visión para controlar el ambiente operativo a través del cual guiará a su equipo. Una visión no es, ni una declaración de misión, ni un conjunto de metas, aunque las misiones y las metas nacen de la visión. Para que un "piloto líder" tenga visión, debe existir una capacidad para visualizar lo que se desea, tanto para el líder, como para su equipo. La visión es una combinación de creencias, experiencia y trabajo arduo. Sin una visión, un líder entrega el cielo a otros.

Mantenerse delante de la aeronave
Es importante para los pilotos ubicarse mentalmente delante de la aeronave, anticipando obstáculos y proveyendo soluciones antes que los problemas ocurran. Si un piloto se ubica detrás de la aeronave, ésta comienza a dictar las reacciones del piloto en lugar de

revertir los roles. La única forma de prevenir esto es manteniéndose delante de la aeronave.

Los "pilotos líderes" deben también mantenerse delante de su "aeronave" (de los negocios). El mercado cambiante de hoy y las fechas de entrega cada vez más cercanas exigen que se ubique delante de la situación y se eleve por sobre los retos de cada día y que tenga una visión del futuro. Cuando las circunstancias comiencen a dictar cada uno de sus movimientos y deje de sentirse "en control," habrá quedado detrás de la "aeronave" y podría estar colgado de la cola. Advertencia ¡Está apunto de iniciar un viaje increíble!

Como "piloto líder," aprenda de los pilotos que utilizan la visión para permanecer delante de la aeronave. Los ojos los mueven constantemente entre el horizonte y los instrumentos de vuelo, las listas de verificación y el terreno inmediatamente delante de sí. Siempre están pensando en lo que pueda suceder, mientras que de manera astuta están conscientes de la situación actual. Se ubican mentalmente delante de la aeronave.

El Mariscal de Campo Bernard Montgomery dijo, "un buen líder debe dominar los eventos que lo envuelven; una vez los eventos lo abrumen, perderá la confianza de sus hombres y cuando esto ocurra dejará de tener valor como líder." Él reconocía la necesidad que tienen los líderes de poder permanecer delante y "dominar" los eventos, en lugar de ser abrumado por ellos.

Ross Perot, Jr. ha sobresalido como piloto y como líder de negocios. Ross fue el primero en volar un helicóptero alrededor del mundo. En una reciente charla con Ross, le pregunté acerca de la relevancia de la "visión de un piloto." Sin dudarlo me comentó, "Lideré mis compañías de la misma forma en la que vuelo mi aeronave." Le pedí que me explicara eso y continuó:

"La regla número uno de un piloto en cualquier emergencia es volar la aeronave. Sin importar las luces, alarmas y sirenas a su alrededor, como piloto, primero debe volar la aeronave y luego lidiar con la emergencia. Muy frecuentemente en los negocios, nos vemos atrapados en culpar a alguien. Establecer comités y manejar la crisis del momento. Como líder de mi compañía debo recordar que hay que continuar volando la aeronave. La crisis vendrá, se irá y otra crisis tomará su lugar; el tiempo lo ha comprobado. Pero si dejo de liderear la compañía y distraigo mi atención por demasiado tiempo, entonces no tendré una compañía que manejar en el futuro. ¿No es cierto?"

Estas son palabras por las cuales debemos vivir y con las cuales podemos liderear.

La competencia

Como "piloto líder," también debe anticipar lo que hace la competencia. Esto significa anticipar los problemas, predecir las necesidades y tomar medidas mucho antes que la competencia lo obligue a tomarlas. Para ese entonces, sería ya demasiado tarde.

Andy Grove de Intel continúa manteniendo la delantera en la industria de circuitos integrado ("chips") para computadores. Adhiriéndose estrictamente a la profética predicción de Gordon Moore de que la potencia de los "chips" se duplica cada 12 meses, Intel posiciona estratégicamente sus recursos por delante de la demanda. (Incidentalmente, por alguna razón inexplicable, la mayoría de las personas piensa que la "Ley de Moore" dice que la potencia de los circuitos integrados se duplica cada 18 meses; aún Gordon Moore ha refutado ese malentendido tan común.)

Contraste esto con la manera común en la que muchos negocios juegan a "estar a la par" de las demandas de los clientes. Al crear virtualmente la demanda, el señor Grove y compañía se mantienen por delante del consumidor y, por lo tanto, de la competencia.

Conozca la competencia mejor de lo que ellos lo conocen a usted. Los estrategas militares exitosos pasan años estudiando las estrategias de sus enemigos. Entonces, son capaces de predecir con exactitud la forma en la cual reaccionarán ante cada acción y estímulo en el campo de batalla. Con ese tipo de información, se puede mantener la delantera en el mundo de los negocios. Pero recuerde, la competencia podría estar tratando de hacer lo mismo con usted.

Preguntas que facultan a "pilotos líderes"

¿En su trabajo, hacia adonde está mirando? ¿Está enfocado en los resultados a corto plazo o en el crecimiento a largo plazo?

¿Se encuentra a sí mismo en forma rutinaria moviéndose con rapidez pero sin llegar a ninguna parte? ¿Está atrasado en el proceso de toma de decisiones?

¿Le impiden las crisis actuales planificar para el futuro o conducir análisis del mercado?

¿Puede ver a través de la "niebla" del mercado y detectar los problemas antes que estos impacten su negocio?

¿Qué información necesita para mantenerse delante de la competencia? ¿Cómo planea adquirirla?

3
Conciencia situacional

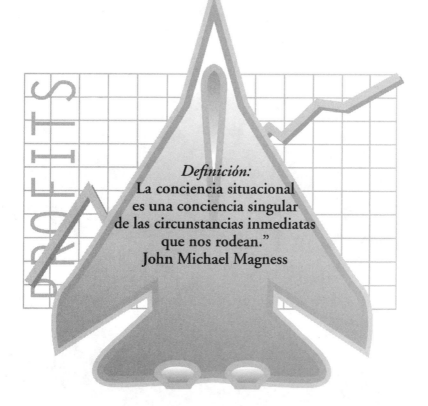

Definición:
La conciencia situacional
es una conciencia singular
de las circunstancias inmediatas
que nos rodean."
John Michael Magness

3
Conciencia situacional

Algunos líderes la tienen. Algunos, definitivamente, no.

¿Qué es la conciencia situacional? La defino como estar muy conciente de las circunstancias propias. La conciencia situacional mana de la visión del piloto.

¿Cómo saber quién la tiene? Un líder que pueda decirle de memoria los nombres de las esposas de los miembros de su equipo, la tiene. Un líder que puede decirle de memoria el estado de cada cuenta, de cada proyecto e incluso de cada problema a surgir (si lo hubiera), definitivamente la tiene. Un líder que puede sentir y anticipar los problemas personales de sus compañeros de grupo tiene conciencia situacional.

Esto es más que simple memoria. Es una capacidad adquirida que da sentido a nuestro entorno y ayuda a distinguir en qué dirección uno llega a la cima.

Entréguele proyectos difíciles a los "pilotos líderes" con conciencia situacional y tendrán la habilidad de no sólo decirle qué está mal, sino dónde encontrar una solución. ¡Los "pilotos líderes" tal vez están ya moviéndose en esa dirección! Un piloto con conciencia situacional puede decirle de forma inmediata el estado de cada sistema en la aeronave sin mirar y puede sentir las sutiles diferencias si algo está fuera de lugar. Con el paso del tiempo, los mejores pilotos aprenden a volar con los pies. Tales pilotos confían en su instinto y actúan según él sin hacer preguntas, ni dudarlo un instante. Para un piloto, esta habilidad intuitiva se desarrolla después de muchas horas de vuelo; un líder desarrolla la intuición por medio de la experiencia en negocios, incluyendo la exposición a situaciones que requieren intuición. En esto no hay atajos.

Aprender a volar en el aire y en los negocios

Mucho antes de que usted desarrolle la conciencia situacional, necesita comenzar con las bases del entrenamiento de vuelo. Pronto verá cómo aprender a volar se parece a aprender a maniobrar en el mundo de los negocios. Por lo tanto, aquí hay un curso corto para aprender a volar un helicóptero, por supuesto: ¡Súbase, ajuste su cinturón y sosténgase!

Controles tridimensionales

Hay tres controles principales en un helicóptero: El cíclico, el colectivo y los pedales.

El Cíclico. A diferencia de la mayoría de aeronaves que tienen una palanca central para la dirección, el helicóptero emplea una barra que se encuentra entre las piernas del piloto. Esta barra, llamada el cíclico, proporciona maniobrabilidad y estabilidad a toda la aeronave.

Conectada directamente con el rotor grande del helicóptero en la parte superior de la aeronave, el cíclico permite que la mano derecha del piloto haga que el helicóptero maniobre rápidamente hacia arriba, abajo, adelante y atrás para mantener la aeronave suspendida en el aire de manera estable.

En los negocios, usted también debe tener esta capacidad de maniobrar para evitar los obstáculos, escollos y tormentas que a menudo afectan día a día nuestros negocios. Debe tener un cíclico en la cabina de su negocio. De la misma forma que en un helicóptero, las conexiones con su equipo deben ser simples y directas. Diferentes niveles de personal o procedimientos innecesarios pueden demorar nuestras aportaciones y disminuir su impacto. Con el turbulento mundo de los negocios de hoy, se requiere de reacciones rápidas ante las condiciones cambiantes para lograr resultados inmediatos.

El Colectivo. Mientras que el cíclico proporciona al piloto del helicóptero el control direccional, el segundo control, el colectivo le proporciona el control vertical. Si desea volar más alto, tire del colectivo con su mano izquierda. ¿Desea regresar al suelo bajo control? Baje lentamente la misma palanca. Al igual que el cíclico, mediante un sistema de barras y palancas, las intenciones de un piloto afectan al rotor que gira por encima de él. Pero, a diferencia del cíclico, el colectivo está también unido al motor. A medida que se requiere potencia, un piloto jala el colectivo. Para volar más despacio, el piloto presiona el colectivo hacia abajo. Suena simple y luego de unos pocos vuelos esta acción se hace automática.

Sin un colectivo, el helicóptero sería una aeronave de dos dimensiones y de una sola velocidad. El colectivo adiciona esa tercera dimensión y es el enlace directo con el corazón de la aeronave, el motor.

Como "piloto líder," ¿qué es lo que le proporciona la capacidad de maniobrar en tres dimensiones? Muchos de nuestros competidores operan en sólo dos dimensiones. Ven los problemas y los obstáculos en el mercado en dos dimensiones y sus soluciones invariablemente lo reflejan. Añada una tercera dimensión de pensamiento y actúe más ampliamente, con conciencia situacional y usted simplemente volará por encima de ellos.

Los Pedales. El tercer control, los pedales, está a los pies del piloto. Los pedales controlan el rotor de cola localizado a unos 20 a 30 pies (6 a 9 metros) detrás del piloto del helicóptero, sobre el brazo del helicóptero. El rotor de cola proporciona control direccional durante el vuelo y contrarresta la fuerza rotacional del rotor principal. Sin él, el fuselaje giraría sin control por debajo de las hélices del rotor principal. ¡Intente guiar a su equipo mientras gira a 300 Km. por hora!

El rotor de cola ayuda a alinear a la aeronave con los vientos prevalentes en vuelo hacia delante. Mejora la eficacia de la aeronave; permite que un piloto deje de luchar contra la fuerza del viento de manera que éste pase suavemente por encima y alrededor de la aeronave.

Como "piloto líder," ¿alguna vez ha intentado cambiar toda la dirección de su equipo o compañía en un pestañeo? Con suerte no lo hace todos los días, pero aún si así fuera, ¿es capaz de realizar un cambio rápido sin tener que reestructurar a toda la compañía? Es imperativo que esos controles (sus pedales) se encuentren fácilmente al alcance y que usted sepa cómo y cuándo utilizarlos. ¿Se enfrenta a una reestructuración radical en la casa matriz de la compañía? Es el momento de emplear los pedales y efectuar un giro rápido a la derecha. Mantenga el impulso, pero cambie su enfoque a la derecha y mueva al equipo en la nueva dirección. Antes que lo sepa, tomará velocidad nuevamente y se encontrará de nuevo en curso.

¿Qué tal la alineación con los vientos prevalentes? Algunas veces no vale la pena pelear por el mercado, ni aún con nuestros superiores. Presionando el pedal apropiado podemos alinear la aeronave con el viento y hacer que el sistema del rotor sea más eficaz. Eso se llama aprovechar las condiciones para sacar ventaja de ellas. Mientras que otros líderes o negocios se quejan de las condiciones del mercado o de las fuerzas externas, los "pilotos líderes" las utilizan para sacarles ventaja y volar más alto y con más fuerza.

Unirlo todo. Ahora, debe acostumbrarse a los controles, el cíclico para la dirección y para evitar los obstáculos, el colectivo para la potencia y para el control de altura, y los pedales para la dirección y para alinearse con el viento. Como piloto, necesita estar preparado para emplear cualquiera de ellos, o todos, para tener éxito en el vuelo.

Como líder en los negocios, establezca los controles y prepárese para efectuar cambios en el dinámico y turbulento mercado del siglo XXI.

Indicadores

Como si lidiar con estos tres controles de forma simultánea no fuera suficiente, un piloto debe también permanecer alerta a una cabina repleta de instrumentos, indicadores y botones. ¡No es tan malo como parece! Esos indicadores realmente simplifican el trabajo del piloto y le permiten un vuelo más seguro.

Démosles una mirada más de cerca. Los indicadores principales requeridos por un piloto en un helicóptero son:

1. Brújula
2. Medidor del torque
3. Indicador de deslizamiento
4. Indicador de actitud

Brújula. Directamente en frente al piloto se encuentra un instrumento que muestra todos los puntos cardinales en un círculo. En la parte superior de la brújula se encuentra la dirección hacia la cual apunta la aeronave. En la parte inferior se encuentra la dirección de la cual viene la aeronave.

Este indicador esencial será uno al que siempre volveremos a consultar no sólo cuando haya mal tiempo sino cuando necesitemos asegurarnos de que vamos en la dirección correcta.

Hay momentos en los que usted, el "piloto líder," se confundirá, se desorientará y no podrá determinar la dirección hacia la cual se supone que debe dirigirse. La brújula siempre le informará la dirección actual y si debe virar a la derecha o a la izquierda para interceptar su curso original. ¿No sería excelente tener siempre una brújula visible para reafirmarnos que sí vamos en la dirección correcta, aún cuando la situación se nuble?

A menudo, como "piloto líder," su dirección planeada puede llevarlo hacia algunos horizontes nebulosos, condiciones del mercado inciertas, nuevas tecnologías, reducciones de tamaño, fusiones o adquisiciones. Tener la confianza de que mantendrá el curso constante a pesar de la "niebla de la batalla" es tranquilizador.

Como líder, ¿Qué o quién es su brújula? Tal vez sea

la relación con su jefe la que le provee esos datos. Tal vez tenga un mentor al cual acude rutinariamente para asegurarse de ir por el camino correcto. Para algunas personas es la proverbial voz interior la que los guía. Para otros, es un conjunto de principios el que los mantiene alineados con su meta final o con su destino.

Muchas compañías han adoptado la práctica de escribir una declaración de Misión. Ésta se escribe para dar guías en momentos de incertidumbre (nublados); en otras palabras, una brújula. Algunas compañías generan una lista generalizada y sin organización para su declaración de misión y de esa forma, simplemente se convierte en un ingrediente más para la sobrecarga de información de los empleados. Imagínelo, como piloto, ¿necesitaría 10 brújulas para que le digan que aún se dirige al norte? Mantenga las cosas simples y dé a los miembros de su equipo dirección y sencillez. Ellos le recompensarán con desempeño y lealtad.

Indicador de Actitud. En un helicóptero, el instrumento de más magnitud es el indicador de actitud. ¿Por qué? Como piloto, debe saber en todo momento la actitud de la aeronave. ¿Está nivelado, en medio de un viraje o se dirige hacia el suelo? La mayor parte del tiempo el piloto puede simplemente mirar hacia afuera para determinar la actitud, pero en una nube o en la noche, usted debe conocer la actitud de la aeronave de forma inmediata.

Como "piloto líder," ¿puede determinar rápidamente las actitudes de sus compañeros de equipo? El mejor indicador de las actitudes del equipo es la confianza. Los gerentes que se apartan (aquellos que creen que la confianza engendra desacato) tendrán problemas con esta. Como "piloto líder," la confianza le permite contar con un excelente indicador de actitud. Al conocer el punto de referencia de las actitudes de cada miembro de su equipo siempre podrá saber cuándo sus actitudes están por arriba y cuándo están por abajo. Conózcalos a todos lo suficientemente bien como para conocer a sus familias, los pasatiempos que tienen y lo que los apasiona. Sepa lo que es importante para ellos y aquello que los motiva.

¿No sería útil sentir las actitudes entre su personal y hacer los cambios de control correspondientes antes que esas actitudes se conviertan en un problema? De forma similar, ¿no le gustaría a usted reforzar aquellas actitudes buenas y mantener a su equipo productivo? ¡Hable acerca de desarrollar la conciencia situacional! ¡Estará en el sendero correcto!
Algunos dicen que la actitud y la moral son los intan-

gibles del liderazgo y que monitorear o incluso medir estas facetas de un equipo es imposible. ¡En realidad no comparto esa idea y usted tampoco debería compartirla! ¡Dejar un aspecto tan importante del liderazgo y el desempeño del equipo al azar es tan peligroso como volar a ciegas! Ningún piloto de helicóptero en su mente sana se atrevería a volar sin indicador de actitud. Ningún líder debe dejar la moral y las actitudes de su equipo al azar.

Otro método para monitorear las actitudes del equipo hacia su ambiente de trabajo es la implementación de una encuesta trimestral. Una vez que se aplica la encuesta la primera vez, podrá establecer un puntaje preliminar para las actitudes de los miembros de su equipo hacia una serie de temas que incluyen:

- flujo de información — ¿se le está manteniendo informado de los cambios?
- desarrollo — ¿ha recibido comentarios u observaciones acerca de su desempeño en los últimos 30 días?
- aportes — ¿se toma en cuenta su opinión? ¿Se ha implementado alguna de sus sugerencias últimamente?
- satisfacción en el trabajo — ¿siente entusiasmo de ir a trabajar?

Registre los resultados cada vez que recoja las encuestas. Encontrar un problema en la moral antes que contamine al equipo le permitirá mantener las actitudes altas y en dirección a los cielos en lugar de tenerlas cayendo en picada.

El presidente de AES Corporation, un productor independiente de energía con más de mil millones de dólares en ventas anuales, rastrea el disfrute de sus empleados en el trabajo. Durante una década, ha realizado encuestas a sus empleados y el reporte anual de su compañía da en detalle estos resultados. Los empleados califican consistentemente el nivel de diversión en el trabajo con ocho puntos de diez posibles.

Las actitudes del grupo son tan importantes como las actitudes individuales. Debido a la cercanía en el ambiente de trabajo y a la simple dinámica humana, las personas comparten actitudes de la misma manera en que comparten un resfriado. Nada puede destruir la moral y el desempeño de un equipo con tanta rapidez como la infecciosa mala actitud.

Como Director de Redmond Products (una compañía multimillonaria de cuidado del cabello), Tom Redmond llamó a esta contaminante actitud "negativitis." Él creía que la "negativitis" afecta a los compañeros del portador, a sus amigos y a cualquiera con quien él se ponga en contacto. ¡Incluso animó a sus empleados de actitud negativa para que fueran a trabajar para la competencia!

Si no monitorea las actitudes, todo su equipo puede llegar a contaminarse, y reparar el daño toma tiempo y esfuerzos. Tiempo y esfuerzos que se invierten mejor logrando una mayor participación en el mercado. Por esta razón, es imperativo que continúe monitoreando actitudes y corrija la situación al primer síntoma de problemas. ¡Dejar una mala actitud sin atención es la receta para el desastre! ¡Al igual que en el vuelo, mantenga un ojo en el indicador de actitud de su equipo, haga los movimientos de control necesarios y observe cómo vuela su equipo!

Listo para despegar

Ahora que sabe cómo "volar," ya puede acumular horas de vuelo (experiencia en vuelo) y, mientras lo hace, puede emplear su Visión de Piloto para construir conciencia situacional. Los "pilotos líderes" con conciencia situacional son aquellos que adquieren suficiente experiencia para confiar en su voz interior o en ese "sexto sentido." La conciencia situacional se parece a la legendaria "intuición femenina." Aprenda a confiar en esa voz interior y siempre actúe en base a ella. Nuevamente, la experiencia es la única forma de perfeccionar este atributo. Entre más siga su voz interior, más aprenderá a confiar en ella y más situacionalmente conciente se encontrará para estar listo para despegar. Estará listo, deseoso y capaz de entrar en acción.

Preguntas que facultan a "pilotos líderes"

¿Cómo se puede desarrollar la conciencia situacional?

¿Qué papeles adicionales de liderazgo podría desempeñar para adquirir esta experiencia?

¿Monitorea la actitud de su equipo? ¿Si lo hace, de qué forma?

¿Invierte el 90 por ciento de su tiempo pensando en una solución y sólo el 10 por ciento de su tiempo solucionando los asuntos o es al revés?

¿Le ha dado su voz interior, o su intuición, las respuestas y las ha ignorado? ¿Por qué?

4
El poder de
la planificación

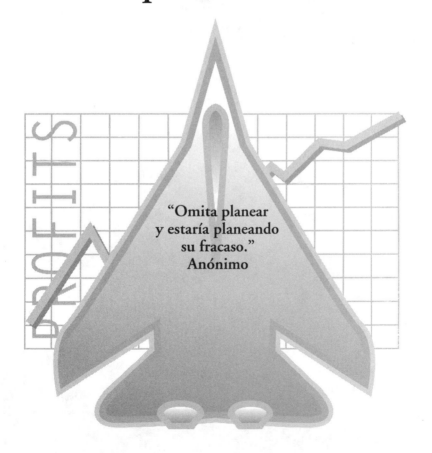

"Omita planear
y estaría planeando
su fracaso."
Anónimo

4

El poder de la planificación

La habilidad para planificar separa a los pilotos buenos de los selectos pilotos excepcionales.

Un piloto excepcional puede recoger, evaluar y procesar rápidamente gran cantidad de información en una situación dada y armar un plan que funcione.

Desaceleración a corto plazo, ganancias a largo plazo

Un principio fundamental de la planificación, tanto para pilotos como para líderes, puede encontrarse en este dicho: "Desacelere para avanzar más"

Aunque pueda parecer contradictorio, para ser un "piloto líder" es, a menudo, necesario desacelerar, tomar la información que se requiere, hacer un plan y luego despegar.

Imagine a dos pilotos preparando sus vuelos de Los Ángeles a la ciudad de Nueva York. Uno de ellos salta a la cabina y despega sin haber hecho un plan de vuelo. El segundo piloto comienza por hacer una verificación del clima y organiza todo para el vuelo. Claro que el segundo piloto está atrás del primer piloto, pero debido a que el segundo piloto aminoró la velocidad, la aeronave podrá ir más de prisa en el futuro. Por ejemplo, no será necesaria una parada para cargar combustible ya que se añadió combustible adicional en preparación para un viento en contra.

Debido a la habilidad de planificación y a los pocos minutos invertidos antes del vuelo, el segundo piloto podrá sacar ventaja de un buen viento de cola a una altitud mayor. Como sea que lo piense, desacelerar para planear le permitirá ir más rápido más tarde, cuando realmente importe.

En tierra, los pilotos exitosos son implacables en su atención al detalle durante la planificación del vuelo. Emplean una lista de verificación con puntos de verificación, que son ubicaciones claramente identificables desde el aire y que se asocian a una cronología. Verifican y reverifican hasta tres veces las cifras de la planificación y luego las hacen revisar por otros pilotos. Saben que pasar detalles por alto es una invitación a tener problemas.

Con un plan podrá ubicarse en una dirección donde podrá sacarle provecho a las oportunidades. Earl Nightingale dijo una vez, "La suerte está donde la oportunidad se encuentra con la preparación." Considere el fijar metas y el "plan de vuelo" como su preparación. Cuando se presente la oportunidad, estará listo.

Los "pilotos líderes" emplean la planificación en tres áreas importantes: Metas, tiempo y casualidades.

Planear y fijar metas

Linda Finch (Piloto en los Estados Unidos, aventurera, mujer de negocios, empresaria y madre) voló alrededor del mundo en 1997 culminando el famoso vuelo de Amelia Earhart sesenta años antes.

¿Cómo lo logró Finch? Comenzó con un plan. Su plan incluyó el enlace de metas a corto plazo para cada sección de su histórico viaje. La primera parte del vuelo fue de Oakland a Monterey, un paso fácil pero necesario. Una vez que llegó a salvo, supo que cada sección en el futuro debía también tomarse un paso a la vez, y que el resultado acumulado sería rodear el planeta.

Ella demostró que para lograr cualquier cosa que tenga mérito, uno tiene que dividir las metas a largo plazo en varias metas a corto plazo. Por cierto, ella llevaba consigo en sus vuelos un libro de historias de Norman Vincent Peale, el maestro en pensamiento y planificación con orientación hacia las metas.

Los vuelos Mercurio fueron los primeros pasos necesarios para nuestro programa del espacio. Abrieron las puertas y dieron a la NASA y a nuestro país el impulso que realmente nos llevó a la luna.

Todos los Pilotos-Líderes planifican metas a corto y a largo plazo y tienen las siguientes tres características:

1. Las metas deben ser *cuantificables* y, por lo tanto, deben poder ser medidas.

2. Las metas deben estar *escritas*.

3. Para que las metas tengan efecto, deben tener un *cronograma* o *fecha límite*.

Metas cuantificables

El seleccionar una meta que puede ser medida y fácilmente identificada asegura que usted y su equipo tengan una meta específica a la cual apuntar. Una meta generalizada de aumento de ingresos puede producir resultados. Pero una meta más específica de un millón de dólares en ingresos de ventas para el tercer trimestre es un punto de verificación que puede verse y para el cual pueden desarrollarse estrategias.

No subestime la importancia de las metas específicas a corto plazo. De la misma forma en que un piloto escoge puntos de verificación que le muestren si la aeronave está en ruta hacia su destino final, usted debe también tener un método para ver su progreso y determinar si requiere un cambio de dirección, acelerar o buscar recursos adicionales.

Metas escritas

¿Puede imaginar a un piloto de una aerolínea comercial planeando un vuelo a través del país, sin tener por escrito la ruta? ¡No! La ruta está escrita, está bien definida y nunca se le confía a la memoria. Para llegar a destino, los puntos de verificación deben estar grabados. Lo mismo aplica para usted como líder.

El coautor de *"Sopa de Pollo,"* Mark Victor Hansen dice, "No se limite a pensarlo, escríbalo." Ese pequeño consejo sirve como un gran recordatorio de que debe escribir sus metas, pensamientos y planes para que sean más eficaces.

En 1953, la universidad de Yale condujo un estudio de sus estudiantes que se estaban graduando. Encontraron que a pesar de que muchos de los estudiantes tenían una visión hacia el futuro, sólo el dos por ciento tenía un plan por escrito para sus carreras. Sólo el dos por ciento se tomó el tiempo de escribir metas a corto y a largo plazo para que puedan llegar a su destino final.

A pesar de que la mayoría de los alumnos tenían la visión de ser doctores, abogados o inversionistas bancarios, sólo el dos por ciento había puesto un plan para llevar a cabo sus sueños. Veinte años después, la universidad de Yale encargó un estudio para examinar el rendimiento de la clase graduada de 1953. Como puede esperarse, el dos por ciento que tuvo una visión, con metas y un plan escrito tuvo más éxito en términos de salarios y posiciones adquiridas.

Los críticos de esta idea de planear teniendo un punto de verificación, a menudo se quejan de ser muy rígido y de no tener suficiente libertad para cambiar el curso. Por el contrario, teniendo un plan escrito ahora tiene una base de la cual se puede desviar.

Metas con cronogramas (fecha límite)
Una meta no es más que un deseo a menos que esta-

blezca un cronograma o fecha límite para alcanzarla. Las fechas límites o los plazos crean un estrés práctico. Es este tipo de estrés el que nos levanta en las mañanas y causa que entremos en acción. A medida que ve que el vencimiento del plazo se aproxima, intensifique sus esfuerzos y, de ser posible, cruce ese punto de verificación y adelántese al cronograma.

¿Qué decir de los obstáculos?

Al establecer y alcanzar metas, se encontrará con barreras ocasionales. Nuevamente, la solución a esos obstáculos puede encontrarse en la planificación del piloto. Si el piloto prevé obstáculos potenciales o incluso si se encuentra con ellos, tiene dos opciones: Continuar con el mismo curso o desviar su curso. ¿Acaso el piloto de un Boeing 777 simplemente vuela alrededor de una tormenta que está delante de él? No, un piloto establece una nueva serie de puntos de verificación que guiarán a la aeronave alrededor del obstáculo y luego lo pondrán de nuevo en curso.

Expertos en la planificación del manejo de tiempo

Basándose en habilidades sólidas de planificación, los mejores pilotos en las aerovías son aquellos que manejan el tiempo de forma excepcional.

Los peores pilotos parecen ser los que dejan que el tiempo dicte sus acciones.

Los mejores pilotos en la aviación comercial llegan y salen a tiempo de manera rutinaria.

Para los pilotos de los comandos secretos de los Estados Unidos, el tiempo lo es todo. Si pudiera mirar dentro de las cabinas de sus helicópteros negros especialmente modificados, no creería lo que ven sus ojos. Simplemente cuente los relojes. Arriba en el panel frontal hay dos relojes análogos y dos relojes digitales. Abajo en la consola central hay dos relojes digitales más. En el monitor infrarrojo frente de ellos hay otros dos. En cada muñeca del piloto hay un reloj digital.

¿Por qué esta obsesión por el tiempo? La medida del éxito a la cual cada piloto de comando se adhiere es un margen muy estrecho: Más o menos treinta segundos contados a partir de la hora establecida. Ese es su estándar para entrega de munición o de guerreros secretos en varios blancos alrededor del mundo. Embajadas, situaciones de rehenes, persecuciones de autos, lo que quiera: Si no llegan a tiempo, se les considera un fracaso. Nada tiene tanto valor para ellos, ni es tan crítico para su misión como lo es el tiempo.

¿Qué hacen los mejores pilotos que les permite llegar a su destino en una hora predeterminada, con exactitud de segundos? ¿Qué secreto conocen? Este es el secreto del manejo reverso del tiempo y es la piedra angular de los "pilotos líderes."

Planificación Reversa del Tiempo
Es, en realidad, muy sencilla pero poderosa en su aplicación. Hablo por experiencia propia, al haber volado con uno de los expertos en planificación reversa del tiempo, el mejor de los pilotos de élite de la Fuerza de Tarea 160 "Nightstalkers." ¡Estos pilotos garantizan a sus "clientes" guerreros secretos que los entregarán en cualquier parte del mundo, y a 30 segundos antes de la hora establecida! Ninguna compañía de entrega de paquetes en el mundo puede siquiera soñar con alcanzar ese estándar.

Los Nightstalkers deben su éxito al hecho que integra la planificación reversa a cada faceta de sus operaciones. Por ejemplo, si un "cliente" dice que quiere estar en el techo de un edificio determinado a las 2:30 a.m., entonces es a partir de allí que ellos comienzan; al final. Toda la planificación gira alrededor de la entrega del cliente en la hora predeterminada y se planea en reversa. Toda la planificación de tiempo se hace con esa meta en mente. Los pilotos tratan cada segundo como un activo, sin desperdiciar ninguno de ellos.

Para los Nightstalkers, el manejo del tiempo es una ciencia. Para los "pilotos líderes," es más que un arte. Usted debe saber qué es lo que significa el buen manejo del tiempo para su negocio, lo que probablemente no será algo de tanta emoción como lo es para los Nightstalker.

A todas las personas sobre la tierra se les dan las mismas 24 horas en un día. Como "piloto líder" exitoso, puede hacer más con su tiempo que otros. Esto incluye planear por adelantado el día, la semana, el mes o el año. Tratar de decidir qué es importante mientras se está inmerso en el día es como tratar de planear un vuelo mientras se está volando. Esto puede llevarse a cabo y muchas personas viven sus vidas de esa manera. Momento a momento. Sin embargo, si planea sus siguientes 24 horas, a consciencia, obtendrá mejores resultados. ¿Cómo?

Como un piloto, comience con el fin en mente, manteniendo a la vista sus metas, la visión y su destino. Como resultado, invertirá tiempo de calidad en los asuntos que son más importantes para usted. La clave es saber cuáles son esos asuntos.

Su "plan de vuelo"
Antes de subirse a la cabina, los pilotos están obliga-

dos a escribir y presentar un "plan de vuelo." Esta es una lista detallada de quiénes volarán en la nave, a dónde van y cómo pretenden llegar hasta allí. Considere los datos en su agenda diaria como los datos de un plan de vuelo. Operar sin él es confiarle demasiados detalles a su mente, que ya está sobrecargada.

La mejor herramienta de organización personal que he visto (y créame, ¡he puesto a prueba muchas!) la hace Priority Manager™ (http://www.priority-management.com). Tiene varias características que me gustan, incluyendo papel durable y grueso (que evita que las hojas se salgan) y la sección de planificación a corto, mediano y largo plazo. Un beneficio adicional es que la compañía le enseña a utilizar el sistema durante un seminario de medio día. Estos seminarios están disponibles a nivel internacional.

El tiempo que invierta en aprender a utilizar un sistema y a mantenerse organizado pagará dividendos en grande en el futuro.

Planificación de casualidades

Los pilotos de primera categoría planean además para cualquier contingencia o casualidad concebible al llevar a cabo un ejercicio de "¿qué pasaría si…?" Para un piloto esto podría sonar de la siguiente manera:

- ¿Qué pasaría si la tasa de consumo de combustible es más alta que lo normal? ¿Podremos aún alcanzar nuestro destino?

- ¿Qué pasaría si encontramos vientos de frente que nos detengan? ¿Tendremos que realizar una parada en ruta?

- ¿Qué pasaría si encontramos tormentas? ¿Podremos evitarlas?

Para un "piloto líder" en los negocios, un ejercicio de ¿Qué pasaría si...? es muy similar:

- ¿Qué pasaría si el proyecto cuesta más de lo que habíamos predicho? ¿Podremos aún culminar el proyecto?

- ¿Qué pasaría si la primera fase toma más tiempo de lo anticipado? ¿Podremos aún terminar el proyecto a tiempo?

- ¿Qué pasaría si mi vendedor estrella se enferma o se desvía por otra razón? ¿Quién puede sustituirlo con los clientes?

Esto se llama planificación de casualidades y es parte

integral de esa planificación tan crucial para el éxito en el liderazgo. También prepara al líder para el inevitable "cambio de destino." Si lleva a cabo adecuadamente la planificación antes de la misión, podrá solucionar los problemas sin dificultades y estos podrán pasar desapercibidos para los clientes.

Superar la "ley de Murphy"

Debe haber escuchado de al menos una de las Leyes de Murphy. La más famosa de ellas es la que dice: "Si algo puede salir mal, saldrá mal." Mediante la planificación detallada y la preparación, los "pilotos líderes" se preparan para "Murphy" porque deben pasar por encima de los problemas y ser los amos de sus alrededores.

Los pilotos y, por lo tanto, los "pilotos líderes" no creen en Murphy. Los pilotos rutinariamente "revierten" la Ley de Murphy y la sustituyen con la más poderosa Regla de Oro de los "pilotos líderes:" Controle su ambiente.

Como líder, usted es el responsable de todo lo que haga su equipo y responde por lo que deje de hacer. En esta era de reducción de personal y de cero defectos, ¿cree por un momento que su cliente pasará por alto sus defectos atribuyéndoselos a la Ley de Murphy?

Visualice las casualidades

Una parte importante de la planificación de casualidades que muchos dejan por fuera es la visualización.
Esta poderosa herramienta le permite ver y experi-
mentar su plan mucho antes de haberlo implementado. Los pilotos militares llevan años haciéndolo,
imaginando sus blancos antes de volar las misiones.

Hoy, le añaden realismo empleando simuladores de
última tecnología para "vivir" sus planes mucho antes
de volarlos. Los pilotos comerciales invierten tiempo
cada año volando en condiciones adversas de clima en la seguridad del simulador. Aquí, aprenden a
visualizar una respuesta calmada, según el manual, a
una emergencia real que podría salvar las vidas de sus
pasajeros.

Implemente la visualización en las sesiones de planificación de su equipo. La visualización puede, a menudo descubrir casualidades u obstáculos que pudo
haber omitido.

Los pilotos son reconocidos por su atención a los
detalles y esto nunca es más evidente que a la hora
de planear un vuelo. Luego de ver la aeronave, la
primera parada es en la estación de planificación. Al
sacar el mapa que cubre la ruta, el piloto verificará

para asegurarse de que no haya ningún obstáculo conocido a lo largo de la ruta. Y un líder sabio hará lo mismo. Cualquier cosa que como líder pueda realizar para reducir los riesgos propios y los de su equipo probará ser benéfico. La planificación de casualidades es esencial para el éxito.

Preguntas que facultan a "pilotos líderes"

¿Con qué frecuencia depende de otros para que piensen y planifiquen por usted? ¿Están esas personas calificadas?

¿Cuánto tiempo (si le dedica algo) dedica usted a la planificación previa de sus reuniones clave, presentaciones de ventas o visitas de venta? ¿Utiliza una lista de verificación para evitar omitir los puntos clave?

¿Lleva a cabo planificación de casualidades para evitar "sorpresas?"

¿Tiene metas a corto y a largo plazo?

¿Visualiza sus planes antes de su implementación para mejorar los resultados?

¿Emplea con efectividad una agenda diaria? ¿Sus compañeros de grupo o su personal utilizan una?

¿Cómo podría el "aminorar la velocidad para volver a acelerar" ayudarle a obtener mejores resultados?

¿Tienen su equipo y usted un estándar consistentemente alto de entregas "a tiempo" a sus clientes?

¿Tiene un plan de vuelo para el éxito?

5
Volar con la tecnología

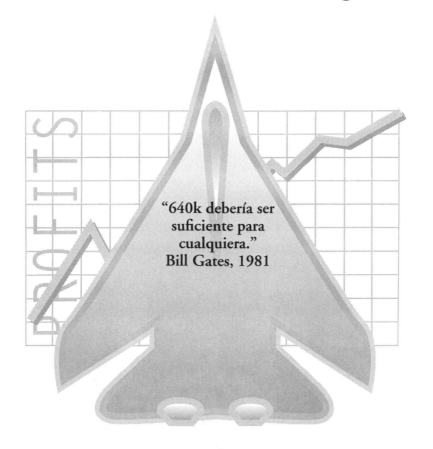

"640k debería ser
suficiente para
cualquiera."
Bill Gates, 1981

5

Volar
con la tecnología

Nadie pudo haber predicho la implacable marcha de la tecnología que experimentamos en la actualidad. Es un cimiento poderoso sobre el cual descansa la economía de los Estados Unidos y de gran parte del resto del mundo.

La tecnología ha invadido todos los aspectos de nuestra vida diaria y de los negocios y ha cambiado también la industria de la aviación hasta casi dejarla irreconocible.

Hoy, los mejores pilotos son los amos de la tecnología, no sus esclavos. Hoy, las cabinas están llenas de millares de CRT (tubos de rayos catódicos), MFD (Monitores multifuncionales) y tal vez más circuitos integrados ("chips") de computadores de los que hay en una línea de ensamblaje de Intel. Con la muerte del Astronauta Alan Shepard, se nos recuerda cuán lejos ha llegado la tecnología desde 1961. El vuelo de Shepard duró 15 minutos, mientras que hoy, los astronautas viajan en vehículos espaciales reutilizables y viven en el espacio por meses, lo que ha sido posible gracias al avance de la tecnología.

Los mejores pilotos de hoy día han tomado esta tendencia de alta tecnología a todo dar y se han mantenido delante de ella, empleando la automatización para convertirse en mejores y más seguros pilotos. El sistema computarizado de Posicionamiento Global por Satélite (Global Positioning System [GPS]) permite a los pilotos conocer con exactitud su posición con relación a su destino y, lo que es más importante, con relación a otras aeronaves. Los controles computarizados de vuelo permiten controlar sin esfuerzo aviones más grandes y complejos.

Las aeronaves pueden volar ahora con mayor seguridad en climas que habrían sido imposibles de transitar sin el radar dopler computarizado a bordo, los computadores de aproximación de precisión y cámaras infrarrojas. Aquellos que no usan esta tecnología se quedan sin despegar moviendo las cabezas en asombro. ¿Ahora, por qué podría ser la tecnología importante para usted como líder? Continúe leyendo.

Aplicar la tecnología para aumentar la riqueza

En su libro de *Unlimited Wealth (Riqueza Ilimitada)*, Paul Pilzer presenta una premisa magnífica, una teoría de alquimia moderna que funciona. A diferencia de los alquimistas en épocas pasadas, quienes intentaban infructuosamente convertir los metales en oro, por medio de la tecnología, hoy tenemos la capacidad de crear riqueza donde no la había. Pilzer sostiene que $W=PT^n$ donde "W" significa riqueza, la cual es el producto de los recursos físicos (P) y la tecnología (T). En esta ecuación, la "n" junto a la "T" es el poder de la tecnología. Entre mayor sea el nivel de la tecnología, mayor será la riqueza que se produzca.

Un increíble ejemplo de la teoría de Pilzer es el uso de la tecnología para aumentar la riqueza de las reservas de petróleo. Como el último de los bebes de los sesenta, crecí durante la crisis del petróleo a comienzos de los años 70. Esta fue una época en la cual eran normales el racionamiento de gas y la inflación de dos dígitos.

Los titulares predecían un suministro de petróleo agotado para finales del siglo 20. Los pesimistas, sin embargo, se equivocaron al no predecir que la tecnología nos ayudaría a encontrar reservas adicionales de petróleo e incluso a mejorar la eficiencia en el empleo de combustibles fósiles. Ahora, empleando modelos con super-computadoras, mejores equipos de perforación y otras herramientas de alta tecnología, las reservas de petróleo conocidas en el mundo han aumentado. ¿Qué cambió en la fórmula de la riqueza de Pilzer? El nivel de los recursos se mantuvo virtualmente como una constante. Lo que creó la riqueza fue el aumento exponencial en la tecnología para ubicar recursos anteriormente desconocidos.

Usar la tecnología para desarrollar productos o procesos

Hoy, puede realmente haber retorno de inversión al emplear la tecnología en los negocios. Miremos, por ejemplo, cómo el genio combinado de Boeing y sus numerosos proveedores y vendedores emplearon la tecnología de comunicaciones (programas para grupos e intranet) para crear el primer avión comercial enteramente diseñado por computador en el mundo: El Boeing 777.

Boeing empleó la Internet para compartir los cambios de diseño y probar el impacto de tales movimientos antes de la producción final. De hecho, la aeronave se voló en túneles de viento virtuales aún antes de producir cualquier modelo a escala. Los ahorros en costos, resultado de esta clase de innovación tecnológica, fueron enormes. Los líderes de Boeing adoptaron la tecnología y dominaron su uso como herramienta de diseño.

He aquí otro ejemplo de maximización de la tecnología para diseñar aeronaves. Los ingenieros aeroespaciales han estado tratando de perfeccionar el concepto del "motor rotatorio" para aeronaves de rutas cortas por casi 40 años con muy poco éxito. Una aeronave de pasajeros de motor rotatorio combina la capacidad de despegue y aterrizaje vertical del helicóptero con la velocidad y el rango de un aeroplano.

Las innovaciones tecnológicas recientes han llevado esta idea desde la etapa de concepto hasta la etapa central. Nuevas tecnologías de controles de vuelo por cables y materiales compuestos han aligerado la aeronave de manera que un motor rotatorio puede ahora llevar una carga respetable (los modelos iniciales podían apenas cargar a un piloto y un copiloto).

Bell y Boeing, los coproductores de esta aeronave única están listos para poner la industria de la aviación de cabeza. Mientras otros dijeron que no podría hacerse, (incluyendo el gobierno de los Estados Unidos que recortó dos veces los fondos para el proyecto), Bell y Boeing investigaron, desarrollaron e implementaron los avances tecnológicos necesarios.

El Motor Rotatorio revolucionará la aviación comercial de la misma forma que lo hiciera el jet. Pronto, podrá tomar una aeronave de motor rotatorio, para 24 pasajeros, volar más rápidamente que un avión conmutable turbo-hélice y aterrizar en la ciudad que escoja, no fuera de ella.

¿Se mantiene a la vanguardia de la tecnología en su industria?

El posible lado malo de la tecnología

He aquí una voz de advertencia: Si permite dejarse atrapar por la tecnología por el simple hecho de ser tecnología, puede perder productividad y arriesgarse a perder el control de su ambiente de "vuelo." Una revisión rápida de las últimas tragedias de aerolíneas comerciales revela la forma en la que la tecnología puede complicar las tareas más sencillas.

Un accidente de un moderno jet comercial en Latinoamérica ocurrió debido a que el piloto ingresó la dirección equivocada de aproximación en el teclado (presionó la tecla equivocada). Como era previsible, la aeronave hizo lo que se le ordenó.

Hay también otros peligros. Confiar demasiado en la automatización puede sacarlo de su círculo de decisión. Los pilotos deben ahora trabajar más duro para permanecer como parte activa del círculo de decisión en sus cabinas automatizadas. Como líder, debe luchar para mantenerse en el círculo decisorio aún si muchas de las tareas diarias se hacen automáticamente.

Debemos usar la tecnología, no dejar que ella nos use.

¿Cómo lo utiliza a usted la tecnología? Cuando posponemos la llamada a un cliente porque nuestros organizadores electrónicos se han caído, somos esclavos de la tecnología. Cuando gastamos tiempo crítico de la oficina verificando y contestando correos irrelevantes intraoficina, en lugar de resolver los problemas de diseño de un producto, entendemos erradamente el punto de la automatización. Cuando no tenemos la habilidad de acceder a datos críticos constantemente en un servidor porque el "sistema está caído," necesitamos reconsiderar nuestra dependencia en la tecnología.

Hay otra trampa que debemos evitar mientras creamos la mítica oficina sin papel: el complicar las cosas. Con el paso actual de los cambios tecnológicos, es fácil complicar las tareas más simples. (¿Necesita un teléfono? Olvide la vieja libreta negra. Déjeme miro en mi PDA - Asistente Digital Personal - de bolsillo).

El "lapicero espacial" es un ejemplo de "complicación por tecnología." Diseñado y financiado por la NASA durante la carrera espacial de los 60, esta maravilla tecnológica podía escribir en gravedad cero, en el espacio exterior. Empleando un equipo de ingenieros, diseño por computador y un presupuesto sustancial, el equipo de los Estados Unidos produjo un instrumento único en su clase.

Había una alternativa. Enfrentados al mismo reto, la Unión Soviética logró el mismo objetivo a una fracción del costo: ¡Usaron un lápiz!

Un buen amigo sirvió con el ejército británico durante la Guerra del Golfo de 1991. Durante la ofensiva aliada sobre las tropas iraquíes en retirada, se acercó a un tanque británico cuya tripulación se había detenido durante la parte más crucial del avance. Intrigado, se acercó al vehículo que estaba parado y les preguntó por qué no se movían con el resto de la columna. Para su sorpresa, el comandante del tanque le contestó, "Nuestro GPS está dañado, por lo tanto, no podemos movernos." La tripulación del tanque se había vuelto tan dependiente de su GPS que un GPS dañado significó lo mismo que un tanque dañado. Aunque tenían mapas, brújulas y un vehículo blindado completamente funcional (sin mencionar sus cerebros), dejaron de moverse. No permita que el brillo de la tecnología lo haga caer en la misma trampa.

He escuchado incluso el siguiente inquietante intercambio entre empleados del sector público:

"¿A dónde vas?, son sólo las 9 a.m.
"Me voy a tomar el día. No puedo hacer nada pues mi computador está caído."

Lo que está "caído" es la iniciativa y el empuje de esa persona. Esto es depender demasiado del computador para hacer el trabajo.

Mucha gente en la fuerza laboral de hoy no distingue entre pensar y computar. La verdad es, que los computadores hoy son incapaces de tener un pensamiento creativo real, de hacer una lluvia de ideas o de aconsejar a un compañero. Como "piloto líder," su herramienta más importante es su cerebro.
La velocidad de los cambios tecnológicos se acele-

ra. La Ley de Moore (los computadores se duplican cada 12 meses) asegura que esto va a continuar. Lo que permanece como un reto es su capacidad para aprovechar las herramientas que vendrán y mantener afilado su pensamiento creativo. Como "piloto líder," necesita mantenerse orientado tecnológicamente, pero no a costas de su pensamiento crítico y de sus habilidades de liderazgo.

Preguntas que facultan a "pilotos líderes"

¿Se mantiene al tanto de los últimos avances tecnológicos en su campo? ¿Cómo puede ayudarle la tecnología a trabajar con mayor eficiencia o a aumentar su riqueza?

¿Tendrá la capacidad de posicionar a su compañía o equipo para sacar ventaja de esos cambios? ¿Llegará primero su competencia?

¿Qué mejoras tecnológicas ha empleado para mejorar su visión corporativa? ¿Qué tecnología usan sus competidores?

¿Han dejado, los computadores o la automatización, de convertirse en herramientas de trabajo para complicarle la vida?

6

Comunicar su visión

"Sé que cree
que entiende
lo que piensa que dije,
pero no estoy seguro
de que se haya dado cuenta
de que lo que escuchó
no es lo que yo quería decir."
Anónimo

6

Comunicar su visión

La comunicación clara es tan esencial para los pilotos como el "aire debajo de sus alas" (realmente, es el viento sobre las alas lo que produce la sustentación, pero esa es otra historia).

Si habla con un piloto en el radio de una aeronave, notará palabras bien elegidas y una comunicación muy clara. Un buen piloto es un comunicador eficiente. ¿Puede imaginarse volando en una aeronave con un piloto que no puede comunicarse con el controlador de tráfico aéreo? El piloto probablemente tendría problemas para despegar y aterrizar. ¿Querría usted volar con ese piloto?

Podemos comunicar una idea alrededor del mundo en 70 segundos, pero como dijo Charles Kettering, "A veces toma años para que una idea pase a través de un cuarto de pulgada de cráneo humano."

Los "pilotos líderes" deben tener la capacidad de comunicarse tanto con su equipo interno como con los proveedores externos y clientes. Como un líder de negocios, usted debe tener la capacidad de comunicar eficientemente su visión para construir el apoyo para su producto o negocio.

Una vez, alguien me describió el papel de un líder de esta forma. A medida que un equipo expedicionario abre camino en la jungla, el líder no es aquél que blande el machete, limpiando el camino. No, ese es el papel de los "Gerentes." El líder está subido en un árbol, buscando el mejor camino y comunicando la información al equipo. El líder está en una posición en que puede guiar al equipo hacia la meta.

El reto para un líder es comunicar esta visión a su equipo. Una vez escuché a un conferencista decir, "Una visión es como un bebé: Fácil de concebir, pero difícil de dar a luz." Esto es precisamente cierto.

Como "piloto líder," usted puede a menudo medir sus habilidades o su éxito por lo bien que su equipo entiende su visión. Sólo pregúnteles. ¿Entienden completamente su visión? ¿Qué tan frecuentemente le revela usted a su equipo sus planes estratégicos para el futuro? ¿Entienden ellos por qué se mueven en esa dirección? Si no, entonces la culpa sólo puede tenerla usted. Si usted mantiene su visión para usted mismo, usted no tiene una visión, únicamente tiene un deseo. Informe y otórguele poderes a su equipo y véalo volar con usted.

Comunicación durante una crisis

Aunque los primeros pilotos arrasadores podían arreglárselas sin equipos de radio de aire-aire ni de aire-tierra, en los cielos congestionados de hoy, los pilotos deben tener la habilidad de transmitir en forma clara y concisa, tanto a los pilotos vecinos, como a los controladores de tierra. En caso que un avión comercial de pasajeros pierda el contacto de comunicación con el controlador de tierra, la situación se declara como emergencia y se maneja con mayor prioridad. Las aeronaves son redirigidas y las pistas se dejan libres hasta que la aeronave pueda regresar al aeropuerto.

Los pilotos militares le dan también mucho valor a la habilidad de comunicarse claramente entre ellos. La milicia ha aprendido esta lección de la forma difícil. Una causa que contribuyó al fracaso del rescate de los rehenes en Irán en 1980, por ejemplo fue la pérdida de comunicación entre los helicópteros, los comandantes que dirigían la misión desde tierra y otras agencias participantes.

Como en los negocios, cuando fallan las comunicaciones en tiempos de crisis, los resultados son tan predecibles como la puesta del sol.

Calma en el ojo del huracán
Los pilotos deben tener la habilidad de comunicarse con los pasajeros, los miembros de la tripulación y los controladores de tráfico aéreo aún mientras los problemas están ocurriendo. Los pilotos se entrenan para mantener calmados a los pasajeros, comunicar la situación a los controladores y reaccionar con calma ante la situación. Hacer menos que eso puede llevar al desastre. Tanto para los pilotos como para los líderes, la poca habilidad de comunicación empeora la situación. La buena comunicación puede ayudarle a salvarse a usted mismo y a su equipo.

Durante un periodo económico difícil, su habilidad para calmar a su equipo y comunicar la situación a aquellos que pueden proporcionarle ayuda será de gran importancia. De esta manera, cuando sus clientes, proveedores o inversionistas llamen, usted estará listo para tranquilizarlos con un aterrizaje seguro.

Cuando todo lo demás falle, ¡simplifique!
Antes de comenzar la batalla en tierra de la Guerra del Golfo, las fuerzas de la coalición construyeron

una intrincada matriz de radiofrecuencias protegidas por equipos de codificación muy complejos, para evitar que las fuerzas iraquíes espiaran a las aeronaves amigas y a las tropas en tierra. Desafortunadamente, esta complejidad hizo que a menudo sea imposible para las aeronaves aliadas comunicarse con las fuerzas amigas en tierra. Las frecuencias incorrectas o incluso los códigos incorrectos de descifrado evitaron que las fuerzas aéreas y el cuerpo de ejército en tierra trabajaran juntos.

Aquello no duró mucho; los pilotos y el cuerpo de ejército en tierra migraron a una frecuencia común de "emergencia" y desconectaron la codificación. Una vez se supo que sólo se requería una frecuencia, la guerra comenzó a moverse. Algunas veces cuanto más simple, mejor.

Como "piloto líder" esté alerta de no complicar su técnica de comunicación.

"Micrófono abierto (hot mike)"

Esté alerta también del micrófono abierto (pronunciado "hot mike") el cual es un término de radio para un interruptor de micrófono que se queda pegado en la posición "on" (encendido). Cuando esto sucede, usted comienza a recibir conversaciones imprevistas desde la cabina, y lo que es peor, nadie más en ese canal puede hablar. Esencialmente, la comunicación se cierra y usted tal vez tenga que escuchar una conversación acerca de lo que alguien se sirvió de almuerzo en lugar de algo que podría ser información vital.

¿Cómo se cierra la comunicación donde usted vive y trabaja? ¿A qué personas percibe usted como si tuvieran un hot mike, que mantiene la comunicación yendo en una sóla dirección? ¿Cómo podría usted reabrir ese canal y por lo tanto mejorar la comunicación?

Preguntas que facultan a "pilotos líderes"

¿Cómo podría usted simplificar y mejorar la comunicación en su negocio?

¿Qué habilidad tiene como orador? ¿Puede inspirar a sus compañeros de equipo con las palabras correctas? ¿Ha considerado unirse a una organización de oratoria como los Toastmasters?

¿Cómo podría mejorar su habilidad para escribir?

¿Cómo responde usted ante una crisis?

7
El poder del conocimiento

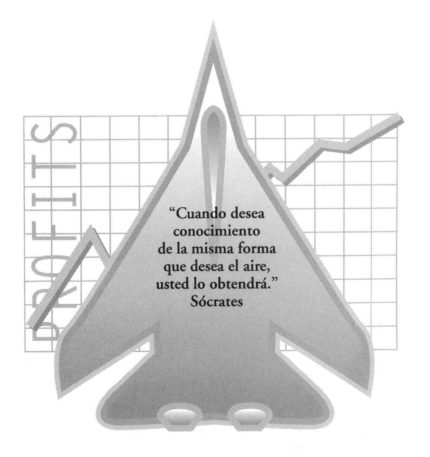

"Cuando desea
conocimiento
de la misma forma
que desea el aire,
usted lo obtendrá."
Sócrates

7
El poder
del conocimiento

Todos lo pilotos militares y comerciales están obligados por la ley a tomar un mínimo de clases de educación continua cada año. Estos cursos ayudan a los pilotos a mantenerse en un nivel superior de la industria y al tanto de los miles de cambios que podrían afectar la operación segura de sus aeronaves. En mi opinión, la ley que exige esas clases es innecesaria. Los pilotos conocen la importancia del aprendizaje constante. En una industria donde la ignorancia significa la muerte, los pilotos tomarían clases aún si no fueran obligatorias. Los mejores "pilotos líderes" sienten lo mismo acerca de la educación en sus negocios.

Digo todo esto a pesar del hecho que muchos pilotos, empresarios y líderes logran la grandeza sin el bene-

ficio de un MBA u otro grado. Uno sólo debe mirar
al éxito de Thomas Edison (tres meses de escolaridad
formal), o a Soichiro Honda (expulsado de su universidad) para ver que a menudo hay algo más grande
que la educación formal. No piense que estos casos
están relegados a la era previa a los computadores.
Simplemente mire al millonario Bill Gates. Se retiró
de Harvard antes de graduarse.

Lo que esas personas sí consiguieron, sin embargo,
fue el poder del conocimiento adquirido a través
del autodesarrollo continuo. Se dieron cuenta que
restringir su aprendizaje a los confines de una insti-
tución educativa era perder el control sobre su aprendizaje y desarrollo. Permitir que la educación formal
sea su única fuente de conocimiento es permanecer
para siempre como bidimensional. El autodesarrollo
requiere del aprendizaje continuo para proporcionar
la tercera dimensión esencial para los "pilotos líderes."

Ya que hablamos de ello, el desarrollo profesional
continuo para todo su equipo puede ser una excelente
manera de mejorar la moral. Mejor que las recompensas en efectivo (rápidamente gastadas), mejor que
el tiempo libre (pasa demasiado rápido), el buen entrenamiento permanece con ellos por siempre. Envíe
a sus compañeros de equipo a un seminario o ayúde-

los a matricularse en educación continua. Los efectos son más duraderos y usted verá cómo su moral se dispara.

Los mejores pilotos del mundo están comprometidos con la idea del aprendizaje continuo y el autodesarrollo. Sus vidas y las vidas de su tripulación y pasajeros dependen de ello. ¿No debería usted tomar una actitud similar hacia el perfeccionamiento de sus habilidades? He aquí lo que los mejores pilotos hacen y lo que usted también debiera hacer.

Extensa verificación anual de habilidades

Cada año, los pilotos están obligados a demostrar ante un instructor sus habilidades básicas como pilotos. La justificación es: Si usted puede desempeñarse a demanda, bajo el estrés de una evaluación de vuelo con tareas básicas, usted tendrá una base firme durante una emergencia real.

Las evaluaciones externas son mucho más reveladoras que la autocrítica. Haga que alguien de afuera de su equipo o negocio le haga una evaluación honesta de sus habilidades de liderazgo y del desempeño de su negocio cada año. Ya que este no es el momento para golpear egos, evite acudir a sus amigos para este tipo de observaciones. Seleccione a alguien que pueda ser "brutalmente honesto" y le proporcione críticas constructivas al igual que información específica sobre qué cambiar o mejorar.

Extensa evaluación médica anual

Nunca permita que la preocupación o falta de conocimiento acerca de su salud interfiera con su capacidad para liderear a su equipo. Pida una opinión calificada, tome cualquier acción recomendada y deje de preocuparse por eso. Luego, como un guerrero bien armado, usted podrá lanzarse al trabajo de su vida con confianza. Como dijo el filósofo francés Jean Jacques Rousseau: "Cuando el cuerpo es débil, toma el mando. Cuando es fuerte, obedece."

Periódicas actualizaciones industriales

La tecnología en la aviación cambia rápidamente. La cabina, el ambiente de vuelo e incluso las solicitudes de los clientes se vuelven más y más técnicos y automatizados. Los mejores pilotos se rehusan a quedarse atrás y por lo tanto, se mantienen delante de los cambios. Como líder, usted debe tener acceso a las últimas tendencias en su industria. ¿Qué publicaciones periódicas recibe? ¿Utiliza los "sabuesos" de noticias de Internet para buscar la última información acerca de su industria? ¿A qué seminarios asisten usted y su equipo para mantenerse al día?

Su "PIF"

En cada sala de planificación de cada unidad de
vuelo en la milicia de nuestra nación hay una lectura obligatoria para cada piloto que sube a los cielos.
Este "Archivo de Información para el Piloto" o PIF
(por su sigla en inglés, Pilot Information File), como
se conoce, es una lectura obligatoria para todos los
pilotos antes de subirse a la cabina. El PIF contiene
datos de último minuto y artículos del mundo de la
aviación. Puede ser una lista de los últimos riesgos de
vuelo (globos meteorológicos, migraciones de aves o
planeadores) o un resumen de la última investigación
de accidentes. En el PIF uno podría encontrar también información sobre los últimos avances tecnológicos para una aeronave en particular.

Sin importar el contenido, la justificación para el PIF
es simple: Los pilotos saben que para ser los mejores
deben estar armados con la última información. Estos datos podrían de hecho salvar vidas. Es la información que se considera más crítica para su profesión
y se alimentan de ella cada día. ¿Tiene usted una
fuente de información similar para usted mismo y
para otros en su oficina? ¿Cómo se mantiene usted en
el nivel superior de la industria en que usted trabaja?
Si es en ventas, incluya las últimas estrategias o un

artículo de *Success Magazine (la Revista del Éxito)*
para su equipo. ¿Están las últimas cifras de ventas?
Entonces publíquelas en su propio PIF ("Archivo de
Información Profesional") para que todos las vean.
¿Alguien tiene una medida particular de éxito (o
fracaso) con un cliente? Compártala con el grupo.
La información que se acapara hoy con seguridad no
es poderosa. Entre otras cosas, los grupos virtuales
(groupware) e intranet son excelentes métodos para
diseminar su nuevo PIF entre su equipo.

Reuniones mensuales de "eruditos"
Los pilotos se reúnen rutinariamente para compartir
lecciones de lo que han aprendido o tendencias que
ven en la aviación. Como piloto me aseguré de for-
mar el hábito de reunirme mensualmente con pilotos,
ingenieros, meteorólogos y controladores de tráfico
aéreo para ampliar mi perspectiva en mi profesión.
Armar su propio grupo de eruditos dentro y fuera
de su industria puede proporcionarle una fuente de
tendencias emergentes. Sin embargo, no llegue a esas
reuniones con las manos vacías, los colegas que escoja
estarán también en busca de información nueva.

El poder del conocimiento en una crisis
Hay sólo unas pocas cosas que los pilotos confiarán
a la memoria en lugar de utilizar una lista de verifi-

cación y eso sólo lo hacen cuando una situación los lleva a tomar una acción inmediata o están en riesgo de perder el control de la aeronave.

La necesidad de una acción inmediata no se da a menudo. La mayoría de las veces, el piloto tiene la oportunidad de analizar la situación y recuperarse sin problemas.

Además, un piloto competente habrá traído una lista de verificación que proporcione procedimientos paso a paso para tomar en caso de una emergencia. Estos pasos pueden ir desde lo simple - aterrice tan pronto como sea posible - a lo complejo - apague la batería, apague generadores, jale los interruptores de circuitos, ajuste la velocidad del aire y aterrice tan pronto como sea posible.

En cualquier caso, muy pocas emergencias en una aeronave requieren de una acción inmediata. ¿Por qué? Aunque el primer instinto humano es el de intentar tomar control total de la aeronave, muchas veces es sólo una pequeña parte la que está causando el problema. Usted tiene una mejor posibilidad de sobrevivir si da un paso atrás, analiza la situación, junta todos los datos y sigue su lista de verificación. Por eso es que usted, como piloto, la lleva con usted. Es por eso que usted necesita una como "piloto líder."

No conozco a ningún "piloto líder" que tenga todas las respuestas. Pero conozco muchos que mantienen la mano en los recursos para lidiar con los retos diarios al igual que con aquellos especiales. En tiempo de crisis, al igual que en las operaciones diarias, es de gran ayuda tener varias de las respuestas fácilmente disponibles.

Cuando un piloto utiliza una lista de verificación, ésta sirve no como apoyo, sino como una herramienta para ayudar al piloto a ver cosas que pudo haber omitido en tiempos de crisis. ¿Quién puede olvidar el poder de la lista de verificación de emergencia que salvó las vidas de los miembros de la tripulación del Apollo 13?

El poder del error del piloto
La causa número uno de los accidentes de aviación es también la causa número uno de los fracasos en los negocios. Según las estadísticas de la FAA, la causa número uno de los accidentes de aviación (o incidentes, como quiera llamarlos) no son los materiales, ni las fallas de componentes. Esos están en cuarto lugar. No es el sabotaje, aunque ese tipo de incidente parece recibir la mayor parte de la publicidad hoy día. No.

La causa número uno de los incidentes de aviación en el país (y en el mundo) es el error del piloto.

¿Cómo se relaciona esto con usted como líder? Según las estadísticas de la Administración de Pequeñas Empresas, la causa número uno para los fracasos de negocios no es la dinámica del mercado, ni las tomas hostiles por parte de los sindicatos. No, la razón número uno de los fracasos de los negocios en nuestro país es el mal liderazgo. A pesar de todo nuestro carisma, nuestra inteligencia y tecnología, la mayoría de los negocios, equipos y personal que fracasan, fracasarán este año a causa de algo que el líder hizo o dejó de hacer. Por lo tanto, deje de buscar a su alrededor cuando algo salga mal y busque en el espejo. Hay gran posibilidad de que el problema sea usted. Recuerde, como líder, usted es el piloto y usted está sentado en la silla del piloto. Pero, usted podrá decir, "No vi venir esa caída del mercado," o "¿Cómo pude haber previsto que mi CFO nos estaba llevando al rojo?" Buenas preguntas. Busquemos las respuestas en un piloto de helicóptero.

¿Cómo hace un piloto de helicóptero para ver las montañas mientras vuela entre las nubes? ¿Clarividencia? ¿Instinto? ¿Buena suerte o cualquiera de los otros términos actuales a los cuales se atribuye el éxito? Poco probable.

¿Cómo sabe el piloto cuándo está un motor a punto de recalentarse y de comenzar un incendio a seis pies por detrás de él y tres pies por encima? ¿Omnisciencia? ¿Percepción extrasensorial? ¡De ninguna manera!

Un helicóptero se diseña alrededor del piloto, al igual que la mayoría de los negocios o equipos debe estructurarse alrededor del líder. La cabina del piloto es una mezcla de controles, indicadores y equipo de navegación, que le permiten al piloto guiar la aeronave a través del aire, evitando obstáculos e incidentes. Como líder, usted debe hacer lo mismo: Rodéese de las personas y de la información que le den la capacidad de saber lo que está sucediendo en este momento y lo que va a suceder a lo largo del camino.

Miremos de nuevo a aquellos accidentes causados por el error del piloto. Los registros muestran que los indicadores probablemente operaban correctamente y que los controles funcionaban normalmente. Entonces, ¿cuál pudo haber sido el problema? En muchos casos, el piloto ignoró los instrumentos. Tal vez, el piloto se fijó demasiado en un indicador para desventajar los otros indicadores. Tal vez el piloto tuvo un exceso de control (micro manejó) dando demasiados aportes a los controles, anulando, por lo tanto, los efectos aerodinámicos de las partes del helicóptero que mantenían la aeronave en el aire. ¿Podría alguna de esas causas ocurrir en el trabajo? Pueden ocurrir y ocurren, dando como resultado fracasos en los negocios, bajos ingresos trimestrales y accionistas descontentos. El conocimiento de cómo ocurren los accidentes y los percances, combinados con el conocimiento de lo que debe hacerse cuando suceden es vital para la supervivencia de su equipo y su negocio.

Preguntas que facultan a "pilotos líderes"

¿Cuándo fue la última vez que usted invirtió en su futuro y se inscribió en un seminario o en una clase de educación continua? ¿Cuándo fue la última vez que envió a su equipo a una de ellas?

¿Cuándo fue la última vez que usted tuvo una evaluación externa de su equipo o de su liderazgo? ¿Podría una perspectiva "externa a la compañía" descubrir algún problema potencial e identificar alguna solución?

¿Tiene usted algún programa de lectura de desarrollo profesional para usted y su equipo?

¿Cuándo fue su último examen médico?

8
Volar con confianza

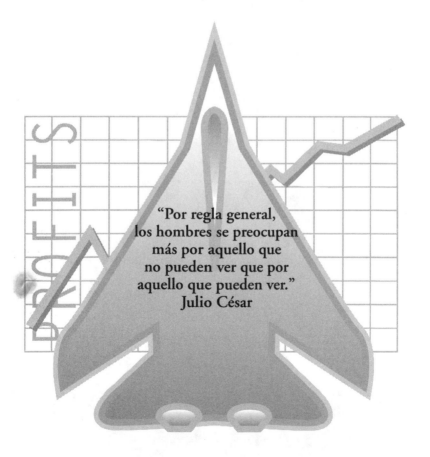

"Por regla general,
los hombres se preocupan
más por aquello que
no pueden ver que por
aquello que pueden ver."
Julio César

8

Volar con confianza

A treinta pies de la muerte. A treinta pies sobre el mar. Un helicóptero negro es invisible en la noche mientras pasa sobre las olas y se aproxima a la costa a velocidades que exceden las 200 millas por hora. Los pilotos de helicóptero de los guerreros secretos de los Estados Unidos están entrenados para llevar a cabo este tipo de maniobra empleando Gafas de Visión Nocturna (NightVision Goggles, NVGs) e instrumentos diseñados para mantenerlos a ellos y a su aeronave fuera del agua.

¿Cuál es el elemento más importante para ellos mientras viran en su aeronave de 30 millones de dólares a sólo segundos de estrellarse contra el oscuro mar? Confianza. Confianza en un pequeño indicador de tres pulgadas que los mira a la cara desde el panel de instrumentos. El indicador, llamado "altímetro de radar," le da al piloto una lectura digital de su altura exacta sobre el agua. El indicador debe calibrarse, por lo tanto ellos deben confiar en el mecánico que lo instaló. El indicador debe ser exacto, por lo tanto deben confiar en el fabricante.

El piloto que se encuentra en los controles no puede ver los instrumentos, de manera que el piloto debe confiar en el copiloto para monitorearlos. El copiloto no está en los controles, de manera que éste debe confiar en las habilidades del piloto. Si la aeronave comienza a perder altura, de todas maneras todos estarán mojados antes que el copiloto pueda llegar a los controles. Hablando de eso, los pasajeros en la parte de atrás no pueden ver lo que está sucediendo y no tienen influencia sobre la situación. De manera que tienen que confiar en los pilotos, los instrumentos y los fabricantes y esperar que todos hayan hecho su trabajo. ¿Qué nivel de confianza existe en su organización?

Sin confianza, la mayoría de aeronaves nunca dejarían el suelo. Sin confianza en las leyes de la aerodinámica, la tripulación y el piloto jamás se hubieran sentido confiados para dejar el hangar. Aún más confianza se requiere una vez que la aeronave se encuentra en vuelo, cuando el piloto debe confiar en que los indicadores de la cabina proporcionan los datos correctos, ¡aún cuando el piloto no pueda ver el horizonte!

La verdadera confianza es como tener un boleto de ida y vuelta en una calle de doble sentido

Los equipos deben operar de forma similar. Como "piloto líder," usted nunca logrará llevar a cabo las tareas difíciles sin confiar en su equipo. Su equipo nunca confiará en usted como líder a menos que usted confíe en ellos. Es definitivamente un asunto de fe. Pero, al igual que la confianza de un piloto en la tripulación y en el mantenimiento terrenal, es un salto esencial, siempre y cuando usted haya hecho su tarea.

Para establecer confianza, usted debe mostrar que está comprometido con el desarrollo de su equipo. En términos aeronáuticos, usted debe darle "mantenimiento" a su equipo. En forma periódica y completa, el plan de mantenimiento de su personal debe ser tan completo como cualquier plan de mantenimiento para una aeronave. Las aeronaves de alto desempeño requieren de ciertas acciones por parte de técnicos entrenados cada día, cada mes e incluso luego de ciertas situaciones estresantes (como, exposición al calor, al polvo o al agua salada). Lo mismo es válido para su equipo. Usted puede establecer su plan de mantenimiento con relativa facilidad, pero lo que es clave es implementarlo.

Acción	*Frecuencia*
Establecimiento y revisión de metas personales	Mensual
Desarrollo profesional	Cada mes de por medio
Reunión del personal	Semanal
Verificación de la moral	Diaria

Como "piloto líder," su desempeño óptimo sólo se logra después de aprender a confiar en su equipo. Naturalmente, es esencial tener las personas adecuadas. Conrad Hilton, fundador de Hilton Hotels Corporation, construyó su imperio "escogiendo personas competentes, ubicándolas en posiciones clave y confiando implícitamente en su juicio." Sin esta confianza, jamás habría estado a la cabeza de una cadena de hoteles que hoy se extiende alrededor del mundo en 50 países.

Confianza en la dinámica humana
Luego de gastar muchas horas en el aire y en el salón de clases, un piloto desarrolla un entendimiento y un nivel de confianza en los principios de la aerodinámica. Estos principios pueden encontrarse en las Leyes

del Movimiento de Newton. Esas leyes son irrefutables, no negociables e irrevocables y afectan todos los aspectos del vuelo.

Como "piloto líder," usted también debe confiar en principios similares de dinámica humana. Por ejemplo, La Tercera Ley de Newton aplica a la vida y al liderazgo tanto como a la física. Esta es la ley de la acción y reacción. En un contexto bíblico se describe de la siguiente manera: "Lo que siembres, recogerás"

Como "piloto líder," usted puede confiar en que usted y su equipo recogerán una magnífica cosecha, siempre y cuando planten, cultiven y nutran su negocio. Intentar ganarse un peso fácilmente, ganarse la lotería, sólo lo llevará a sueños no realizados.

No se puede conseguir algo sin pagar el precio. Usted puede confiar en saber que sus acciones positivas deben generar resultados positivos.

Confianza ganada

La Ley de Newton es esencial para ganar y mantener la confianza tan vital para su éxito como "piloto líder." En adición a esta ley de dinámica humana, la confianza se construye sobre las bases de los otros seis secretos de los pilotos que hemos explorado en este libro: La visión de un piloto, Conciencia situacional, El poder de la planificación, Volar con la tecnología, Comunicar la visión y el Poder del conocimiento. Con esta base, la confianza debería entrar en efecto. Pero si usted falla en alguna de estas áreas, no espere que la confianza lo saque de apuros en forma mágica. La confianza deben ganarla usted y cada miembro de su equipo a través del trabajo duro. No debe ser ciega, más bien, debe emerger naturalmente a medida que usted adquiere "horas de vuelo" y ejercita la verdadera "visión de un piloto."

Preguntas que facultan a "pilotos líderes"

¿Está usted ejercitando exceso de control sobre su equipo? ¿Cuánto más eficiente sería su equipo si le otorga poderes mediante la confianza?

¿Entiende y aplica la dinámica humana en su negocio?

¿De qué otras formas puede usted construir confianza entre usted y su equipo?

¿Confían sus empleados en que usted los piloteará con seguridad hasta el éxito?

9
Unirlo todo

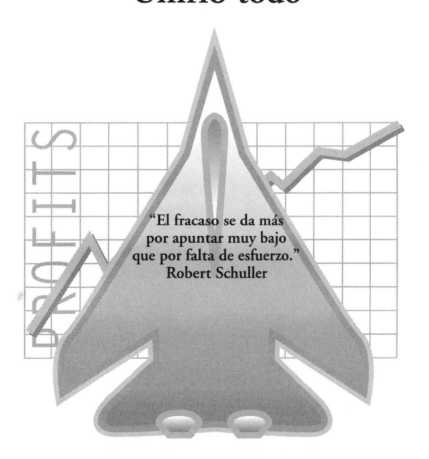

"El fracaso se da más
por apuntar muy bajo
que por falta de esfuerzo."
Robert Schuller

9

Unirlo todo

Convertirse en piloto es una tarea desalentadora. No todos pueden pasar las pruebas, tener el coraje, adquirir las habilidades y aplicarse ellos mismos para tomar los cielos. Pero puedo asegurarle que hay pocas cosas en este mundo que sean tan gratificantes. Volar y romper las ataduras de la tierra es de veras una sensación celestial. También lo es convertirse en líder. A menudo fracasamos en lograr nuestros sueños, no por falta de esfuerzo, sino por apuntar muy bajo. Deje que los secretos y las historias en este libro levanten sus miras hasta un nuevo nivel, el nivel del "piloto líder."

Levantar vuelo y balancearse en el aire

La belleza de un helicóptero, un logro increíble de la ingeniería desde cualquier estándar, puede expresarse en una palabra: Volar. Cuando cada parte del helicóptero trabaja de manera sincronizada, el piloto puede levantar la aeronave del suelo hasta una posición estable sobre la tierra. Pero la clave para todo esto yace en la cabina. Es aquí donde un piloto debe confiar en la increíble fuerza que produce la aeronave.

Este salto de fe puede ilustrarse fácilmente por los pilotos nuevos que están aprendiendo a volar. Los nuevos pilotos ya sabrán que para volar de manera estable deben aplicar todos los movimientos al unísono. Es un momento de contrastes: Los pilotos deben ser firmes y al mismo tiempo estar relajados. Están moviendo los controles, pero la aeronave no se mueve. Los pilotos se enfocan en el exterior del helicóptero, pero están muy conscientes de lo que ocurre adentro. Están trabajando duro, pero apenas se mueven. En esencia, los pilotos deben sintonizarse con la aeronave. Deben anticipar la forma en la cual la aeronave va a responder a sus movimientos de control para no aplicarlos de forma innecesaria. Los pilotos deben pensar dos o tres movimientos por adelantado. Deben anticipar ráfagas de viento, pero no de manera muy forzada. Deben controlar la aeronave pero sin exceso de control. Durante la más delicada de las maniobras, los pilotos deben mover los controles de forma casi imperceptible. Hacerlo de otra forma daría como resultado giros violentos de la aeronave.

Este delicado balance de vuelo es realmente un estado que los científicos conocen como homeostasis y que una vez que usted como líder lo adquiere, experimentará un mayor éxito del que alguna vez creyó posible. La homeostasis se define como: "Estado de equilibrio fisiológico producido por un balance en las funciones y la composición química dentro de un organismo." Este estado de balance no es de sólo tener a su equipo en sincronía, sino de llevar a su ser, a su ser fisiológico a un estado de equilibrio. Es más que juntar a la gente en su negocio para un proyecto; es llevar las funciones a un estado de equilibrio.

Despegar hacia una meta

¿Como llega un piloto a su destino? ¿Moviéndose directamente hacia la meta? ¡Incorrecto! Como un piloto o un marino le diría, volar "directamente" requiere una gran cantidad de correcciones. A medida que las fuerzas externas comienzan a actuar sobre sí y sobre su equipo, se hacen necesarios una "mira constante en el premio" y correcciones periódicas de rumbo para retomar el curso y alcanzar sus metas más rápidamente. Trate de dirigirse directamente a su objetivo y se desviará una milla.

Usted tendrá que desviarse de su plan de vuelo casi con certeza. Anticípelo. Déle la bienvenida. Hágalo.

Como escribiera Emerson hace más de siglo y medio: "El viaje del mejor buque (¡y aeronave!) es una línea en zig zag con cientos de trazos."

Tenemos mucho que aprender de los "pilotos líderes" exitosos. Han alcanzado un nivel de logro que vale la pena estudiar y emular, pero sin adoración, ni idolatría. Son humanos. En alguna parte, sin embargo, aprendieron qué era necesario para el éxito. Adquirieron el conocimiento necesario y la experiencia para impulsarlos al nivel más alto en su campo de empeño.

La mayoría de las personas que alcanzan logros notables en la vida, tienen su éxito emulado a alguien a quien admiraban, tal vez un tutor o un ídolo. Emplear un modelo puede ser un atajo hacia el éxito. Si encuentra a alguien que esté logrando el tipo de resultados que usted desea, siga ese patrón y verá los resultados. Sin embargo, le recomiendo dar un paso más.

Mientras toma el modelo de comportamiento de alguien más, piense también por sí mismo. No es coincidencia que esto sea lo que separa a los buenos pilotos de los pilotos excepcionales: Su capacidad para "pensar."

Thomas J. Watson, Sr., el fundador de IBM tenía solamente la palabra "pensar" por todas partes en su compañía. Ésta pronto se convirtió en el lema de la compañía y aún hoy ayuda a separar a IBM del resto de las compañías de tecnología informática, haciendo que aún sea la más grande de tales compañías en los Estados Unidos.

Desarrollar más Líderes Pilotos en su Equipo

Es una apuesta segura que hay menos compañías que han establecido programas de desarrollo profesional para sus empleados que aquellas que no lo han hecho. Las compañías continúan gastando millones de dólares en la búsqueda de buenos líderes fuera de sus muros. El mercado nos muestra que las compañías prefieren pagar a una firma de búsqueda que implementar un programa efectivo de desarrollo de líderes.

Usted, como "piloto líder" puede romper este patrón y establecer su propia escuela de Vuelo de Liderazgo para producir líderes de la misma forma que el ejército prepara a los pilotos del futuro en la base militar de Fort Rucker, Alabama.

Miremos el currículo de un piloto ordinario del futuro (si es que tal cosa existe) pasando por lo que el Ejército de los Estados Unidos ha llamado El Entrenamiento Inicial De Ingreso al Ala Rotatoria, o lo que los civiles llamarían la Escuela de Vuelo en Helicópteros (¡El gobierno podrá entrenar los mejores pilotos, pero son los peores para nombres burocráticos!). Aquí, en el helipuerto más grande del mundo, se enseña a los mejores pilotos lo esencial del vuelo en helicóptero.

De la misma forma en que esos pilotos aprenden a volar, usted también puede enseñar a su equipo cómo liderear. Recuerde, al igual que los pilotos se hacen y no nacen, los líderes también se hacen, no nacen.

Una mirada rápida al Entrenamiento de Vuelo en Helicópteros del Ejército revela que mientras que la instrucción en los salones de clase puede prepararlo a uno para ajustar su cinturón en la cabina, al fin y al cabo uno tendrá que tomar los controles para verdaderamente *aprender* cómo volar. Recuerde *eso* cuando los miembros de su equipo estén aprendiendo a ser líderes. Como dice un proverbio chino:

> "Dímelo y lo olvidaré
> Muéstramelo y tal vez lo recuerde
> Involúcrame y lo entenderé."

En el entrenamiento de los pilotos, los estudiantes primero leen acerca de la maniobra, luego se sientan y observan mientras el piloto instructor les demuestra la misma maniobra.

Finalmente, el estudiante toma los controles e *intenta* la maniobra. Este procedimiento de tres pasos funciona y funciona bien. Úselo cuando enseñe a sus futuros líderes.

Note que dije "*intenta.*" Si el estudiante de vuelo no lleva a cabo la maniobra según el estándar, el instructor dirige, corrige y anima hasta que ésta se perfecciona. Todo esto se hace para crear un ambiente que lleva al éxito. Provea un ambiente similar de "aprenda mediante fracasos" para sus futuros líderes y usted también inspirará confianza y respeto en ellos.

Thomas J. Watson, Sr. de IBM lo puso de la siguiente forma: "¿Desea triunfar? Entonces, duplique la tasa de fracasos. El éxito yace al otro lado del fracaso."

Unas palabras de precaución: Déle a esos líderes en formación la oportunidad de ganarse sus alas, pero siempre con una "medida" de precaución hasta que estén listos para navegar "solos." Definitivamente no es mi intención animarlo a que les permita fracasar y tal vez llevarse todo el equipo al hoyo con ellos. Ejercite una medida de manejo de riesgos y permítales conducir proyectos pequeños pero importantes. Luego, dé un paso atrás y obsérvelos tomar los cielos.

Piense como un piloto

Este libro se diseñó para darle a usted un conocimiento de las mentes de los pilotos. Los siete secretos que acaba de explorar pueden transferirse al liderazgo en la profesión que escoja.

Haga una lista de los siete secretos de los pilotos exitosos y péguela en su espejo en la casa y ponga una copia en el trabajo donde pueda verla a menudo durante el día. Haga suyos esos secretos y aprenda a pensar como piloto. Verá la diferencia. Los problemas que parecían insuperables se pondrán en contexto. Las metas que parecían estar fuera de su alcance estarán a la mano. A medida que comience a adoptar los secretos de los "pilotos líderes" como propios, comenzará a ver la transformación en sí mismo y ganará confianza en sus habilidades.

Se requiere de repetidos entrenamientos de vuelo para convertirse en un gran piloto. De forma similar, usted requerirá entrenamiento continuo. Este libro puede ayudar. Regrese a estos siete secretos y a las preguntas al final de los capítulos con regularidad y aplique sus experiencias. Repase los secretos de los "pilotos líderes" diariamente. Adicionalmente, concéntrese en su propio desarrollo en una de las siete áreas, al menos una vez al día y durante los siguientes siete días, rote las áreas de manera que pueda cubrir cada una de ellas. En un mes habrá progresado en todas las siete.

Este libro tiene como objetivo ayudarle a desarrollar una nueva perspectiva en su vida, su liderazgo y una actitud completamente nueva. Es más que una actitud mental positiva. Habiendo leído este libro, tiene el conocimiento para pensar como un campeón de los cielos con una "Actitud Mental de *Piloto*."

Einstein dijo una vez que el nivel de pensamiento que nos trajo tan lejos no sería suficiente para llevarnos al futuro. ¡En esencia, debemos pensar en un nuevo (aero)plano!

Una actitud mental positiva es necesaria, pero una Actitud Mental de Piloto lo lleva hacia logros aún más altos, ¡como un "piloto líder" con "la visión de un piloto!"

Acerca del Autor

John Michael Magness es un conferencista profesional, consultor a nivel internacional y piloto de helicópteros. Veterano de la Tormenta del Desierto es también un ex-piloto de operaciones especiales, voló con la mayoría de la élite de la fuerza de helicópteros, los legendarios Nightstalkers, llevando a cabo misiones secretas alrededor del mundo. Tiene un título en ingeniería aeroespacial de la Academia Militar de los Estados Unidos en West Point y un MBA de la Universidad de Boston. Vive con su esposa, su hija e hijo en Fort Worth, Texas.

John Michael Magness lleva a cabo seminarios de entrenamiento y programas de motivación a nivel internacional. Su perspectiva y exposición única de "piloto" le han hecho ganar entusiastas críticas por parte de profesionales que también desean volar hacia éxitos más altos.

El cielo definitivamente *no* es su límite.